나의 아름다운 사찰 108 순례기

전국의 108절을 찾아서 108배 하기

일상적인 불공 드리기

순례자

법명 : 명적(明跡)

본명 : 문호일(文浩一)

순례 기간

자 : 2009년 1월 3일

지 : 2011년 7월 7일

차례

재4부 경기도 절 순례......83

머리말

초등학교에 입학하면서 종교가 무엇이냐 하고 여러 번 질문도 받았고 서류에도 기록을 해준 일이 기억이 난다. 그때는 종교란에 무 아니면 유교가 대부분이었고 다음이 불교, 기독교(예수교) 순이었다. 무도 그런대로였으나 유교가 제일 많았다. 그러다 유교는 서서히 자취를 감추고 불교가 떠오르기 시작하였다. 불교는 전통적인 민간 신앙이랄까 생활에 깊이 뿌리박고 있는 무속과 함께 일상적이었기 때문에 굳이 불교를 믿지 않아도 절 앞을 지나게 되면 부처님께 절을 하면 마음이 가벼웠다. 그 후 6, 25 한국전쟁을 거치면서 기독교가 왕성하기 시작하였다.

그렇게 어영부영하다가 어느 날 불교대학 졸업도 하고, 딴에는 수련도 한다면서 108 순례를 하게 된 것을 정리를 하여 책으로 엮어 본다. 누군가 108 순례에 뜻이 있는 분에게 조금이나마 도움이 되면 보람이 되겠다.

기본적으로 절에 관한 설명은 감이 이렇다 저렇다 할 위치에 있지 않으므로 그 사찰의 홈페이지를 우선으로 인용하였다. 간혹가다 홈페이지 설명으로 그렇거나 없을 경우에 한하여 개인적인 설명을 하였는데 해당 절에 누가 되지 않기를 빌고 있다. 그리고 사진은 전적으로 필자가 직접 촬영한 것임을 밝힌다.

108 순례를 하는 동안 음으로 양으로 마음 편하게 해준 집사람에게 고마움을 전한다. 그리고 이 책이 나오기까지 여러 가지 도움을 준 동생 문호준에게도 고마움을 전한다.

108 순례를 시작 하면서

몇 년 전부터 불자의 한사람으로 우리나라의 절들을 찾아보면서 불공도 드리고, 우리들의 사상과 문화인 종교의 뿌리를 알아보려고 생각 중이었다. 그러던 중에 지인으로부터 108 순례라는 것을 알게 되었다. 그 참 잘되었구나! 나도 108 순례를 해야지 하고서 기회를 보다가, 금년도 기축년(2009년) 새해를 기점으로 하여 3년 정도에 걸쳐서 전국에 산재한 사찰을 둘러볼 계획이다. 가는 길이 순탄하지는 않겠지만 시작이 반이라고 하였으니 이제부터 힘찬 발걸음을 옮깁니다. 가는 길을 지켜보아 주시고 행여 딴길을 더듬는 다거나 벗어 나는 일이 있으면 가차 없는 충고와 질책을 주시기 바랍니다.

사찰을 설명한 날짜는 실제로 다녀온 후 며칠 지나서 편집한 날짜로 순례일 과 다릅니다.

- 明跡 하늘무지개 文浩一 -

2009년 1월 12일

제1부 인천광역시 절 108 순례

108 순례를 어디서부터 할까 하고 고심을 하던 중, 우리나라 제일 서북쪽부터 시작하여 동서로 왔다 갔다 하면서 남쪽으로 내려와 제일 남동쪽인 부산에서 끝내기로 방침을 정하고, 제일 서북쪽에 있는 강화도 보문사부터 시작하였다.

1. 보문사(普門寺) : 인천 강화 석모도 낙가산(2009년 1월 3일)

첫 순례 절을 우리나라 서쪽에 위치한 강화도의 보문사를 택하고 1월 3일 토요일에 다녀왔다. 1월의 매서운 바닷바람이 겁이 나서 많은 옷을 끼어 입고 갔다. 그러나 예상외로 한겨울 중에도 난동이라 무거운 겉옷이 거추장스럽기도 하였다.

이하 보문사(옮겨온 글)

인천광역시 강화군 삼산면 매음리 낙가산에 있는 절.

대한불교조계종 직할교구인 조계사의 말사이다. 한국의 3대 해상관음기도장 가운데 하나이다. 635년(선덕여왕 4)에 창건했다고 하며, 이 마을에 살던 한 어부가 그물을 쳤다가 불상과 나한상 22구를 건져올렸는데 꿈에 나타난 스님이 일러준 대로 현재의 석실(石室)에 봉안했다는 전설이 있다. 1812년(순조 12)에 홍봉장의 도움을 받아 중건했으며, 1893년(고종 30)에는 민비의 전교로 요사와 객실을 중건하는 등 여러 차례의 중건을 거쳐 오늘에 이르고 있다. 현존 당우로는 대법당·관음전·나한전·대방·종각·석실 등이 있다. 특히 이 절의 역사를 대표하는 순례지인 석실(인천광역시 유형문화재 제27호)의 입구에는 3개의 홍예문이 있고, 동굴 내에는 반원형의 좌대를 마련하고 탱주(撐柱)를 설치했는데 그 사이에 있는 21개의 감실(龕室)에는 석불을 안치했다.

이하 사진은 2009년 1월 3일

이하 사진은 2017년 8월 31일로 책만들 때 날짜임

https://blog.naver.com/hoilsanta/221513134561
2009년 1월 13일

2. 통일사(統一寺) : 인천 옹진 영흥(2009년 8월 13일 목 맑음)

6, 25 한국전쟁 당시에 전사한 남편을 기리고 겨레의 통일을 염원하는 소망이 담긴 절로써 1983년에 한 여승이 세운 것이라고 한다. 수많은 무역선이 인천항으로 드나드는 서해바다 모습이 한눈에 들어오고 관광객들이 줄을 서서 찾아오는 국사봉 아래 숲속에 자리한 아담한 암자 같은 절이다.

https://blog.naver.com/hoilsanta/221519463338

2009년 8월 15일

3. 전등사(傳燈寺) : 인천 강화 길상 온수('10,8,5 목 흐림)

대한불교조계종 제1교구 본사인 조계사의 말사이다. 중창기문(重創記文)에는 381년(소수림왕 11) 아도화상(阿道和尙)이 창건한 절로, 1266년(원종 7)에 중창된 이래 3, 4차례의 중수가 있었다고 되어 있다. 이 기록에 의하면 현존하는 우리나라 사찰 중에서 가장 오래된 것으로 볼 수 있으나 확실하게 단정짓기는 어렵다. 창건 당시에는 진종사(眞宗寺)라고 했으나 1282년(충렬왕 8) 충렬왕의 비인 정화공주가 승려 인기(印奇)를 중국 송나라에 보내 대장경을 가져오게 하고, 이 대장경과 함께 옥등(玉燈)을 이 절에 헌납한 후로 전등사라 고쳐 불렀다고 한다. 그러나 현재 이 옥등은 전하지 않고 있다. 1337(충숙왕 6), 1341년(충혜왕 2)에 각각 중수되었다고 하나 당시 전등사의 역사를 알려주는 기록은 거의 없는 실정이다. 1605(선조 38), 1614년(광해군 6)에 일어난 2차례의 화재로 절의 건물들은 완전히 소실되었고, 그 다음해 4월부터 지경(志敬)이 중심이 되어 재건하기 시작해 7년 만인 1621년 2월에 완성되었다. 1678년(숙종 4)에 실록을 보관하는 사고가 있다.

<처마밑 원숭이 상에 대한 설명>

남편을 배신하고 도망간, 여인네의 나상이, 처마 네 귀퉁이에 있다.

누구는 원숭이라 한다지만, 사랑의 소중함을 일깨워 주는 이야기이고......

죽어서도 무거운 지붕 귀 서까래를 받치고 있어야 하는 고

통의 여인이 되었다

- 이상 옮겨온 글 -

https://blog.naver.com/hoilsanta/221537887188

2010년 8월 6일

제2부 서울특별시 절 108 순례

우리나라 수도 서울에는 조계종의 본산인 조계사를 비롯하여 서울 북쪽을 병풍처럼 둘러싸고 있는 산기슭에 수많은 절이 산재해 있다.
일반적으로 사찰은 주거지로부터 어느 정도 격리되어 있는 것으로 알고 있지만, 서울의 절중에는 도시의 번잡함이 절에서도 느껴지는가 하면, 어떤 곳은 스님들이 출퇴근하는 것 같은 감이 들 때도 있었다. 가히 사찰의 현대화라고나 할까?
세상에 변하지 않는 것이 없다고 말한다. 절역시나 시대의 조류에 따라서 변하고 있는 것이다. 절은 조용한 곳에서 수도하는 것으로부터 생활 주변으로 영역을 넓혀서 신도들과 좀 더 가까이 다가서는 것을 느낄 수 있다.

1. 조계사(曹溪寺) : 서울 종로 수송동 (2009,1,17)토 맑음

순례 두 번째로 서울의 대한 불교 총본산인 조계사를 다녀왔다. 불교의 조직체계를 보았을 때 제일 먼저 찾아보아야 할 것이지만, 지리상으로 가장 서쪽에 있는 절부터 시작하는 것이 좋겠다고 생각되어 강화의 석모도에 있는 보문사에 먼저 가고, 다음 조계사에 들른 것이므로 이해가 필요할 것 같아서 여기 그 사유를 밝혀 둔다.

조계사 (옮겨온 글)

조계사 (남한 서울 절) [曹溪寺]

서울특별시 종로구 수송동 44번지에 있는 절. 대한불교조계종 총무원이 있는 한국 제일의 포교 전법 도량이다. 1911년 한용운과 이회광이 중동중학교 자리에 각황사(覺皇寺)라는 이름으로 창건했다. 1915년 포교와 교육사업을 위해 31 본산 연합사무소를 설치했으며, 1929년 승려대회를 열어 조선불교 선교양종의 종헌을 제정하고 중앙교무원을 설립했다. 1937년 조선불교총본산을 설립하기로 결의하고, 17만 원의 경비를 들여 1938년 각황사를 지금의 자리로 이전했다. 이때 삼각산에 있던 태고사(太古寺)를 이곳으로 옮겨오는 형식을 취해 절 이름을 태고사로 바꾸었다. 1955년 이 절을 중심으로 불교 정화운동이 전개되면서 다시 절 이름을 조계사로 고쳤는데, 현재 대부분의 절은 조계종에 속해 있다. 경내에는 대웅전을 비롯한 현대식 건물인 불교회관과 불교정화기념관 등이 있다. 대웅전 앞뜰에 있는 사리탑은 1930년 스리랑카의 달마파라(達摩婆羅)가 가져온 석가모니의 진신사리 1과를 봉안한 것이다. 그밖에 상원사(上院寺)에서 가져온 동종 등이 있다.

https://blog.naver.com/hoilsanta/221513137713

2009년 1월 17일

2. 봉은사(奉恩寺) : 서울 강남구 삼성동 703번지 수도산(2009년 7월 19일 일 흐림)

대한불교조계종 제1교구에 속한다. 이 절의 기원은 794년(원성왕 10)에 연회국사(緣會國師)가 창건한 견성사(見性寺)이다. 그뒤 1498년(연산군 4)에 정현왕후(貞顯王后)가 성종의 능인 선릉(宣陵)을 위해 이 절을 중창하고 봉은사라고 절이름을 바꾸었다. 1551년(명종 6)에 문정왕후(文貞王后)가 수렴청정을 하면서 보우(普雨)를 주지로 삼아 불교를 중흥하는 중심 도량이 되게 하였다.

보우는 1562년에 중종의 능인 정릉(靖陵)을 선릉(宣陵) 동쪽으로 옮기고 절을 현위치로 이전하여 중창하였다. 1563년(명종 18) 절에 순회세자(順懷世子)의 사패(祠牌)를 봉안하기 위하여 강선전(降仙殿)을 세웠다.

임진왜란과 병자호란 때 사찰은 병화로 소실되었고, 1637년(인조 15)에 경림(敬林)과 벽암(碧巖)이 모연(募緣)하여 중건하였다. 1665년(현종 6)에 다시 화재로 소실되었으나, 1692년(숙종 18)에 왕실에서 시주하여 석가모니불·아미타여래·약사여래 등의 삼존불상을 안치하였고, 1702년(숙종 28) 왕이 절에 전백(錢帛)을 하사하여 중건을 완료하였다.

1747년(영조 23)에는 순찰사 남태저(南泰著)의 주청으로 조정에서 쌀과 돈, 목재 등을 내리고, 1757년(영조 33)에 상헌(尙軒)·영옥(穎玉)·선욱(善旭) 등이 힘을 모아 중수하였다.

1789년(정조 13) 조정의 지시에 따라 선욱 · 포념(抱念) 등이 세자각(世子閣) · 대웅전 · 명부전 · 향각전 · 관응당(管應堂) 및 각 방사를 보수하였고, 1790년에 전국 사찰의 승풍과 규율을 감독하는 5규정소(五糾正所)의 하나가 되어 강원도와 경기도의 사찰 일부를 관할하였다. 1824년(순조 24)에는 경성(鏡星) · 한영(漢映) · 승준(勝俊) 등이 세자각을 비롯하여 모든 당우들을 중수하였다.

일제강점기의 31본산시대에는 경성 일원을 관장하는 본산이 되었다. 당시의 가람으로는 대웅보전(大雄寶殿) · 대향각(大香閣) · 화엄경판전(華嚴經板殿) · 선원(禪院) · 영산전(靈山殿) · 심검당(尋劒堂) · 관응당 · 천왕전(天王殿) · 강선전(降仙殿) · 독성각(獨聖閣) 등이 있었다.

1939년 실화로 대웅전, 동서의 승당과 진여문, 만세루, 창고

등이 소실되었으며, 1941년 주지 도평(道平)이 대웅전과 동서의 양 승당을, 1942년 영산전·북극전(北極殿)·만세루(萬歲樓)·천왕문(天王門) 등을 새로 세웠다.

1943년 절의 서쪽에 있던 종남산(終南山) 명성암(明性庵)을 이곳으로 이건(移建)하였고, 1972년동국역경원의 역장(譯場 : 경전번역소)이 이곳에 들어왔다. 1975년 진신사리 1과를 봉안한 삼층석탑과 석등을 조성하였으며, 1982년에 진여문과 대웅전을 중창하였다. 1996년에 미륵대불을 조성하였으며, 1997년 천왕문과 법왕루(法王樓)가 철거되고 새로운 건물이 들어섰다.

절에 소장되어 있는 국가지정 문화재로는 보물 제321호로 지정된 지정4년명고려청동누은향로가 있다. 이 향로에는 고려 충혜왕 5년 (1344)의 명문(銘文)이 있는 고려청동누은향로(高麗青銅縷銀香爐)로, 일명 오동향로(烏銅香爐)라고도 한다. 사명당(四溟堂)이 쓰던 것으로, 동국대학교 박물관에 보관하고 있다.

‘대웅전(大雄殿)’ 편액은 추사김정희(金正喜)의 글씨이며, ‘판전(板殿)’ 편액은 김정희가 죽기 3일 전에 쓴 것이다. 절의 판전에는 『화엄경소』를 비롯한 많은 목판본이 보관되어 있는데 현재 총 16부 1,480매에 달한다.

- 이상 옮겨온 글 -

https://blog.naver.com/hoilsanta/221518811929

2009년 7월 19일

3. 길상사(吉祥寺) : 서울 성북(2010년, 5월, 29일 토 맑음)

본래는 '대원각'이라는 이름의 고급 요정이었으나 요정의 주인이었던 고 김영한(1916~1999, 법명 길상화)이 건물을 시주하여 사찰로 탈바꿈하게 되었다. 1995년 6월 13일 법정 길상사'로 이름을 바꾸어 재등록되었고 같은 해 2월 14일에 초대 주지로 청학 스님이 취임하였다. 경내에는 극락전, 지장전, 설법전 등의 전각이 있으며 행자실, 청향당, 길상헌 등의 요사가 존재한다. 현재 6대 주지로는 덕현 스님이 취임 중이다.

2010년 3월 11일 법정 백석

원본 주소 'http://ko.wikipedia.org/wiki/%EA%B8%B8%EC%83%81%EC%82%AC'

- 이상 옮겨온 글 -

북악산에서 서울 성을 따라오다가 숙청문에 이르러 성북동으로 내려오면 마치 외국의 고급주택지와 조금도 다를 바 없이 아방궁 같은 주택들이 즐비한 한가운데 자리한 길상사가 나온다.

길상사는 오래전에 우리나라 삼대 요정으로 유명한 삼청각, 청운각, 대원각이 있었는데, 대원각을 운영하였던 김영한(법명 길상화)이 법정 스님의 "무소유"를 읽고, 감명을 받아서 1987년에 절을 만들어 달라고 법정 스님에게 기증하려 하였으나 거절을 당한 후 8년이 지나 1995년 6월 13일에 드디어 받아들여져서 마침내 절이 되었다고 한다.

https://blog.naver.com/hoilsanta/221535371225

2010년 5월 30일

4. 청룡사(靑龍寺) : 서울 종로 숭인 낙산 ('10,6,2 수 맑음)

대한불교조계종 직할교구 본사인 조계사의 말사이다. 922년(고려 태조 5) 태조 왕건(王建)의 명으로 창건하고 비구니 혜원(慧圓)을 주석하게 하였다. 도선(道詵)이 왕건의 아버지 왕륭(王隆)에게 고려 건국의 예언과 함께 이(李)씨 왕조가 일어날 한양의 지기(地氣)를 억누르기 위해 개성 주변에 10개의 절과 전국에 3,800개의 비보사찰을 짓도록 하였는데, 이 절도 그중 하나라고 전해진다. 1036년(정종 2) 만선(萬善)이, 1158년(의종 12) 회정(懷正)이, 1299년(충렬왕 25) 지환(知幻)이 각각 중건 또는 중수하였다.

1456년(조선 세조 2) 단종이 죽은 후, 단종의 비인 정순왕후(定順王后) 송(宋)씨가 이 절에 머무르며 날마다 동망봉(東望峰)에 올라 단종이 귀양가서 죽은 영월 쪽을 바라보며 울었다고 전해진다. 1771년(영조 47)에 영조가 절 내에 정업원구기(淨業院舊基)라는 비석을 세우고, 동망봉이라는 친필 표석을 세워 단종을 애도하였는데, 이때부터 절 이름을 정업원이라 불렀다. 1813년(순조 13) 화재로 소실된 것을 이듬해 묘담(妙湛)이 중수하였다. 1823년(순조 23)에는 순원왕후(純元王后)의 병세가 깊어지자 부원군인 김조순(金祖淳)이 이 절에서 기도를 올렸는데, 왕후의 병이 나은 뒤 김조순이 절 이름을 청룡사로 바꾸었다. 1853년(철종 4) 김조순의 아들 김좌근(金左根)이 중창하였다.

일제강점기에도 꾸준히 불사를 진행하였으며, 1954년 비구니 윤호(輪浩)가 대부분의 건물을 새로 지어 오늘에 이른다. 현재는 비구니 수행 도량으로 알려졌다. 건물로 대웅전과 심검당 · 우화루 · 명부전 · 산신각 · 요사 등이 있다. 대웅전 내

에 봉안되어 있는 삼존불은, 철원의 심원사(深源寺) 천불전에서 옮겨온 것이다. 정업원구기는 서울특별시 유형문화재 제5호로 지정되어 있다.

- 이상 옮겨온 글 -

https://blog.naver.com/hoilsanta/221535374587
2010년 6월 2일

5. 보문사(普門寺) : 서울 성북 보문동('10,6,19 토 맑음)

서울 지하철 6호선의 보문역에서 북쪽을 바라보면 터널 위에 사찰이 보이는데 이 절이 보문사이다. 대한불교 보문종으로 주택지 야산에서 중생을 내려다보고 제도하는 모습이 무게 있어 보이며 경내에는 극락전을 위시하여 석굴암, 석탑 등 제대로 갖추어진 절임을 알 수 있다.

- 이하 옮겨온 글 -

석굴암 하면 누구나 국보(國寶) 제24호인 경주 토함산 석굴암을 연상한다.

보문사 석굴암은 암석의 지형적 특성을 고려하여 조성한 경주 석굴암을 본떠 제작한 것으로, 1970년 8월에 시작하여 23

개월 동안 진행되었으며, 호남지방(湖南地方)의 화강석과 경기 석등 총 2,400t의 화강석이 사용되었다.

주불(主佛)은 15톤의 원석으로 제작되었으며, 높이는 3.38미터이다. 전체적인 것은 경주 석굴암의 것을 그대로 따랐으나, 다른 점은 경주 석굴암 정면에는 문이 하나인 데 비해서 여기는 세 개의 문으로 되어있으며, 공간상의 문제로 팔부 신장(八部神將)이 생략되었다.

석굴암 내부 성현(石窟庵 內部 聖賢)의 배치(配置)는, 본존불(本尊佛)을 기준으로 좌(左)로부터 제석천왕-문수보살-다문제일아난존자-밀행제일라후라존자-지계제일우팔리존자-천안제일아나율존자-논의제일가전련존자-십일면관세음보살-설법제일부루나존자-해공제일수보리존자-두타제일가섭존자-신통제일목건련존자-지혜제일사리불존자- 보현보살-대범천왕 순

(順)이며, 위 감실 안의 좌상(坐像)은 좌(左)로부터 다보탑-선의보살-바수밀보살-동자보살-정취보살-외도보살 -비구보살-미륵보살-장자보살-석가탑 순(順)이다.

그리고 외부 입상(立像)은 좌(左)로부터 나라연금강(那羅延金剛)-다문천왕-증장천왕-광목천왕- 지국천왕-밀적금강(密迹金剛) 순(順)이다.

https://blog.naver.com/hoilsanta/221536045851

2010년 6월 22일

6. 광륜사(光輪寺) : 서울 도봉('10, 7, 1 목 맑음)

도봉산은 우람한 기암괴석과 뾰족이 솟은 암봉들이 장관을 이루며, 사방으로 뻗은 계곡을 따라 녹음이 우거져 명소를 만들고 있다.

산중에는 망월사(望月寺)·천축사(天竺寺)·쌍룡사(雙龍寺)·회룡사(回龍寺) 등의 명찰이 많고, 특히 동쪽으로 서울과 의정부 간의 국도를 타다가, 도봉천이 흐르는 도봉동 계곡을 따라 도봉동 매표소를 지나면 바로 100여m 맞은편에 도봉산 광륜사(道峰山 光輪寺)라는 청화 큰스님 휘호의 편액(扁額)이 걸린 광륜사 일주문이 보인다.

이곳은 일찍이 익종의 비인 조대비의 별장이 있던 곳이다. 익종(翼宗)은 조선조 23대 순조(純祖)와 순원왕후 김씨(純元王后金氏)의 슬하에서 장자(長子)로 태어나 4세 때[순조 12년] 효명(孝明)세자로 책봉되었고, 1827년[순조 27년]에 왕명(王命)으로 대리청정(代理聽政)을 하는데, 민정(民政)에 힘써 어진 인재들을 등용하고 형벌(刑罰)을 삼가는 등 적극적인 왕권(王權)의 강화에 힘썼지만 안타깝게도 대리청정 4년만인 22세의 나이에 요절(夭折)하였다. 후에 24대 헌종 즉위 후에 추존왕(追尊王) 익종(翼宗)이 되었다.

풍양조씨(豊壤趙氏) 풍은부원군(豊恩府院郡) 조만영(趙萬永)의 딸로 태어난[순조 8년] 신정왕후(神貞王后趙氏;1808~1890)는 순조 19년[1819년]에 효명(孝明)세자의 세자

빈(世子嬪)에 책봉되어 슬하에 헌종(憲宗)을 생산하였다.

신정왕후는 익종(翼宗)이 요절함으로 인해 외로운 일생을 보냈지만, 1834년 아들인 헌종이 왕위에 오르자 대비의 존호를 받고, 1857년(철종 8) 대왕대비로 신봉되는 등, 83세의 장수(長壽)를 누리며 국가 권력의 정상에 군림(君臨)하는 화려한 생을 보냈다. 곧 안동김씨(安東金氏) 세도 정권의 중심이었던 순조(純祖)의 비(妃) 순원왕후(純元王后)가 승하하자 [1857년, 철종 8년] 새로운 세도 정권 세력으로 헌종(憲宗)의 외척(外戚)이자 조대비의 가문인 풍양조씨(豊壤趙氏)가 권력을 잡게 되었다. 풍양조씨 세도 정권의 중심이었던 신정왕후는 철종(哲宗)이 후사(後嗣) 없이 승하하자 철종의 후계자 결정에 권한을 쥐고 평소 친분이 있었던 종친(宗親) 이하응(李昰應)을 권력의 내부로 끌어들여 고종(高宗) 승계를 주도하였고, 결국 어린 고종(高宗)을 대신해 수렴청정(垂簾聽政)하면서 권력을 흥선대원군(興善大院君)에게 인계하는 역할을 하였다.

- 이상 옮겨온 글 -

https://blog.naver.com/hoilsanta/221536068017

2010년 7월 1일

7. 호암사(虎巖寺)또는 호압사 : 서울 금천구 시흥 호 암산 (관악산의 주산) '10,11,2 화 맑음

호압사는 금천구 시흥2동 234번지 삼성산에 자리잡고 있는 유서 깊은 전통사찰이다. 삼성산은 관악산의 주산이며, 숲보다 바위가 많고 그 바위들이 호랑이 형상을 하고 있으므로 호암사라 부르기도 했다.

호압사의 본사였던 봉은사에 엮은 봉은사 말사지(末寺志)에는 1407년 조선 태종7년에 창건 하였다고 전한다. 또한 태종임금이 호암이란 현액 하사 하였다는 기록이있다. 그러나 창건 연대는 이보다 훨씬 앞선다는 것이 여러 문헌에서 발견된다. 조선의 태조 이성계가 한양에 도읍을 정하고 호암산의 지세가 더욱 크기 때문에 이를 누르기 위하여 호압사를 세웠다는 전설과 이성계의 꿈에 나타나 대궐을 부순 호랑이를 누르기 위하여 호압사를 창건하였다는 전설로도 알 수 있다.

이러한 점을 감안하면 조선 개국시기인 1392년에서 1394년 사이에 창건된 것으로 사료되며, 태조 3년 신도궁궐 조성도감이라는 관청을 설치하여 궁궐을 지었는 데 호압사를 이무렵 창건된 것으로 본다.

신동국여지승람 금천조에는 지금의 시흥군 현감을 지낸 윤자의 이야기가 전해진다. 이에는 풍수지리설에서 말하는 간룡법에서 금천의 동쪽에 있는 산의 형세가 호랑이가 걸어 다니는 것과 같고, 그 중에 험하고 위태로운 바위가 있는 까닭에 범바위라 불렀다.

무학 대사가 이것을 보고 바위 북쪽에다 절을 세워 호갑이라 하였고 십리쯤 되는 곳에 사자암을 지었다. 모두 호암산을 호랑이 형상으로 본것이며, 범이 달려가는 형세를 누르려고 한 것으로 땅의 기운이 세락한 곳에 절을 세워 재난을 방지하고 안락을 기원하는 도참사상이 잘 나타나 있는 비보사찰 중

하나이다.

풍수지리학적으로 호압사는 호랑이의 심장에 해당한다. 꼬리에 해당하는 시흥3동 부근에는 탑을 세운 것이나 허리부분에 해당하는 곳에 석구를 세운 것도 도참사상과 관계있다. 호압사는 삼성산의 정기가 모인 심장부에 자리잡고 있는 만큼 그 이름이 높았다.

창건 당시 식수한 것으로 보이는 500년 이상된 느티나무 괴목 두 그루가 호압사의 역사를 말해 주고 있다. 법당안의 불상은 석조상이며 조성된 시기는 조선 초기로 추정 되는 선이 투박하고 서민적인 모습을 하고 있다.

\- 이상 옮겨온 글 -

https://blog.naver.com/hoilsanta/221539677595

2010년 11월 5일

제3부 강원도 절 108 순례

강원도는 우리나라가 호랑이 형상이라면 이호랑이의 등뼈에 해당하는 산맥이 뻗어 있어 어디를 가드라도 산이 첩첩으로 겹쳐 있다. 그래서 우리나라 명산과 고산이 대부분 강원도에 집중해 있다. 따라서 이름난 절도 강원도에 많은것 같다.
지금은 휴전선이 가로막혀 금강산에 있는 절들을 둘러 보지 못함이 아쉽지만, 그래도 설악산으로부터 태백, 정선에 이르기까지 유명한 절들이 자리하고 있다.

1. 상원사(上院寺) : 강원 원주 치악산(2009년 7월 23일 목 맑음)

이 절은 705년(성덕왕 4)에 성덕왕이 창건했다. 효소왕(692~701 재위) 때 신문왕의 아들인 보천(寶川)과 효명(孝明) 두 왕자가 오대산에 입산하여 동쪽에 있는 만월산(滿月山)에는 일만관음보살을, 서쪽에 있는 장령산(長嶺山)에는 일만대세지보살을, 남쪽에 있는 기린산(麒麟山)에는 일만지장보살을, 북쪽에 있는 상왕산(象王山)에는 일만미륵보살을, 중앙에 있는 지로산(地盧山)에는 일만문수보살을 첨례(瞻禮)했다. 그뒤 성덕왕이 된 효명이 다시 이 산을 방문하여 진여원(眞如院)을 창건하고, 문수보살상을 조성하여 봉안함으로써 이 절이 창건된 것이다.

그뒤 1376년(우왕 2)에 영암이 중창했다. 1464년(세조 10) 왕이 이곳에 행차했다가 문수보살을 배알한 후 고양이 덕분에 자객으로부터 목숨을 건졌다고 하는 일화가 전하는데 이로 인해 다음해에 중창하고 전답을 하사했으며, 이것을 영산부원군 김수온(金守溫)에게 기록하도록 했다. 〈상원사중창권선문 上院寺重創勸善文〉이 남아 있다. 1469년(예종 1)에 세조의 원찰(願刹)이 되었다. 1904년에 선원(禪院)을 개설하고 1907년에 수월화상이 주석하면서 선풍을 떨치게 되었다. 현존 당우로는 선원인 청량선원(淸凉禪院), 승당인 소림초당(小林草堂), 종각인 동정각(動靜閣), 영산전 등이 있다. 중요문화재로는 목조문수동자좌상(국보 제221호), 문수동자좌상에서 발견된 복장유물 23점(보물 제793호), 동종(국보 제36

호) 등이 있고, 〈상원사중창권선문〉은 한문과 한글이 병기되어 있어 한글연구에 귀중한 자료이다.

- 이상 옮겨온 글 -

치악산의 전설 두 가지

전설 1

1천여년 전 신라 때 도사 한 분이 상원사로 불도를 더 닦으러 찾아갔다. 이 도사가 잠시 고갯마루에서 쉬고 있는데 별안간 꿩의 비명이 들려 주위를 살펴보니 구렁이가 꿩을 잡아먹으려 하고 있었다. 도사는 구렁이를 죽이고 꿩을 살려줬다. 도사는 다시 산을 오르다가 날이 저물어 숙소를 찾아 다녔다. 마침 멀리 인가에 불빛이 보여 찾아갔더니 숲속에 집 한 채가 있는데 어여쁜 젊은 여인 혼자 있더라는 것이다. 부탁을 하여 방 한 칸을 빌려 잠을 자는데 갑갑하고 이상한 느낌이 들어 깨어보니 구렁이가 몸을 감고 잡아먹으려 하는 것이다.

도사는 '대체 왜 이러느냐?' 고 하니 '나는 당신이 낮에 죽인 구렁이의 아내인데 내 남편의 원수를 갚으려고 당신을 유혹했다'고 하며 '이 산중에 빈 절이 하나 있는데 동이 트기 전에 이 종소리를 세 번 울리게 할 수 있는 재주가 있으면 살려주겠다' 고 하더라는 것이다. 이때 난데없이 어디선가 종소리가 세 번 들려 도사가 살아났는데 헌 절터 종각에 가보니 꿩이 머리가 부서진 채 피를 흘리고 죽어있더라는 것이다. 이때부터 적악산(赤岳山)이 개명되어 치악산(雉岳山)이 되었다는 전설이 전해지며 이때의 헌 절이 증축하기 전의 상원사라고 하며, 도사는 무착선사라는 설이 있다.

전설 2

치악산의 남대봉 기슭에 있는 상원사는 남한에서 제일 높은 곳에 자리잡고 있는 절이다.(지리산 법계사가 제일 높음 : 하늘무지개)이 절 바로 앞에 40M나 되는 벼랑이 있으며 이 벼랑에는 말발자욱 형태와 사람의 손가락 자욱같이 패인 곳이 선명하며 그 밑에 갈색의 흔적이 있는데 다음과 같은 전설이 전해지고 있다. 치악산 상원사에서 동남쪽으로 백련사라는 절이 있는데 이 절의 주지스님은 아내를 두고 세속적인 생활을 하고 있었는데 이 스님은 치악산 남대봉 기슭에 있는 상원사의 주지도 겸하였다. 이 스님은 백련사와 상원사를 왕래하며 두 절의 스님으로 있었는데 여자를 너무 좋아하여 백련사에는 본처를 두고 상원사에는 소실을 얻어 재미를 보고 있었다.

이 스님은 백련사를 용마로 왕래하였는데 용마는 번개처럼 달리는 말이었다. 그런데 이 사실을 알게된 본처가 용마를 굶겨 죽이기로 했다. 천리도 마다 않던 용마(龍馬)였지만 상원사로 달리는데 도무지 기운이 나지 않았다. 속 모르는 스님은 용마에게 채칙을 호되게 내리쳤고 용마는 용을 써 겨우 상원사까지 이르렀지만 그만 마지막 바위에 턱을 대고 털썩 꺼꾸러지고 말았다. 이 바람에 등에 올라탔던 스님은 말잔등에서 떨어지면서 바위에 손을 짚었고 말은 앞발을 디딘 채 발자국을 남기고 벼랑으로 떨어졌다. 그후 가까스로 올라온 스님은 이것이 본처의 소행임을 알고 소실과 상원사에서 여생을 보냈다고 한다.

- 이상 옮겨온 글 -

https://blog.naver.com/hoilsanta/221518814543

2009년 7월 24일

2. 법흥사 영월(法興寺) : 강원 영월 사자산('10,10,10 일 맑음)

강원도 영월군 수주면 법흥리 사자산 남쪽 기슭에 자리하고 있다. 사자산 법흥사는 신라 선덕여왕 12년(643년) 자장율사가 중국 종남산 운제사에 모셔져 있는 문수보살의 석상 앞에서 7일간의 정진기도 끝에 문수보살을 친견하고 문수보살로부터 부처님의 진신사리와 가사 · 발우 등을 전수받아 사자산(연화봉)에 불사리를 봉안하고 흥녕사라 개창한 우리나라 5대 적멸보궁 중의 하나인 불보 사찰이다. '적멸보궁'이란 '온갖 번뇌망상이 적멸한 보배로운 궁'이란 뜻이다.

현재 법흥사의 유적으로는 옛 흥녕선원의 위세를 짐작하게 하는 3개의 석탑과 1개의 수호석불좌상, 자장율사가 수도하던 토굴, 적멸보궁, 사리탑(강원도 유형 문화재 73호), 흥

녕사 징효대사 보인탑(보물 612호), 징효대사 부도(강원도 유형문화재 72호), 흥녕선원지(강원도 지정 기념물 6호)가 있고 종이가 없던 시절 인도 영라수 잎에 범어로 기록한 패엽경 등의 소중한 삼보종재가 남아있으며 법흥사 주변에는 천연기념물 제242호인 까막딱다구리가 서식한다.

본래 사자산 법흥사의 지명 유래는 산세가 불교의 상징 동물인 사자형상의 허리와 같은 모든 지혈이 한 곳에 모이는 길지 이며, 뒤의 산봉우리가 불교의 상징 꽃인 연꽃 같이 생긴 연화봉에 부처님의 진신사리를 모셨다고 해서 붙여진 이름이다.

법흥사에서 적멸보궁으로 이어지는 소나무 숲 길은 국내에서 손꼽히는 경승지 중 하나다. 사찰로 들어가는 오솔길의 소나무 숲이 장관이고, 사찰 앞에 줄줄이 이어진 아기자기한 아홉 개의 봉우리(구봉대) 역시 일품인 곳이다.

- 이상 옮겨온 글 -

https://blog.naver.com/hoilsanta/221539668563

2010년 10월 10일

3. 청평사(淸平寺) : 강원 춘천 오봉산('10,11,6 토 안개)

청평사는 강원도 춘천을 지나서 오봉산에 있는 절이다. 소양호를 좋으로 북쪽으로 한참 끝에 절이 있다. 가는 길은 육지로는 산길을 돌고 돌아서 가야 하는 길과 소양호에서 유람선을 타고 가는 길이 있다. 이번의 순례는 유람선을 타고 가기로 마음에 정했다.

집에서 아침 일찍이 나섰다. 경춘가도를 달려 북한강의 시원한 강바람을 맞으면서 춘천을 지나 소양호 유람선 선착장에서 배를 탔다. 물안개가 엷게 낀 잔잔한 호수에 배는 미끄러지듯이 나아간다. 저 멀리 선착장이 보이고 사람들이 모여 있다. 상점들이 줄지어 있는 사이로 청평사 가는 길을 안내하는 간판이 전주에 매달려 있다.

청평사까지는 반 시간 정도 걸어서 가는데 벌써 단풍이 물들기 시작하는 가을 산이 정겹게 맞아주는가 하였더니 청평사가 눈앞에 있다.

- 이하 옮겨온 글 -

중창기(重創記)에 의하면 이 절은 973년(광종 24)에 세워진 백암선원(白巖禪院)을 1068년(문종 22) 이의(李╒)가 중건해 보현암(普賢庵)이라 했으며, 1089년 이자현(李資玄)에 의해 절이 크게 중창되었고, 현재의 절 이름은 1550년 보우(普雨)가 극락전과 그밖의 모든 요사채를 새로 지은 뒤에 고쳐 부른 것이라고 한다. 본당인 능인전(能仁殿)은 1851년(철종 2)에 소실되었으며, 6·25전쟁 때 여러 당우가 소실되었다. 현존 당우로는 극락보전(極樂寶殿)·회전문(廻轉門 : 보물 제164호)·소승방(小僧房) 등이 남아 있다.

https://blog.naver.com/hoilsanta/221540418821

2010년 11월 6일

4. 정암사(淨巖寺) : 강원 정선 태백산('11,1,3 월 흐림)

부처님의 진신사리를 모시고 있는 적멸보궁을 답사하기 위하여 두번이나 다녀온 절이다

정 암 사 유 래
淨 岩 寺 由 來

태백산 정암사 적멸보궁은 신라 선덕여왕 14년(서기 645년)에 당시 고승
寂滅寶宮 善德女王
자장율사께서 창건하셨다. 자장율사께서 당나라 산서성에 있는 청량산
慈藏律師 唐 山西城
운제사에서 문수보살님을 친견하시고 석가세존의 정골사리 치아 불가사
雲際寺 文殊菩薩 釋迦世尊 頂骨舍利 齒牙
패엽경 등을 전수하시어 동왕 12년에 귀국하여 14년(을사년)에 금탑 은탑
貝葉經 乙巳年 金塔 銀塔
수마노탑을 쌓고 부처님의 사리와 유물을 봉안 하였다.
水馬瑙塔 奉安
적멸궁 뒤 높은 곳에 세워진 수마노탑은 자장율사께서 귀국하실 때 서해
寂滅宮 慈藏律師
용왕이 용궁으로 모시고 가서 주신 마노석으로 탑을 쌓은 것이라 하여
龍宮 馬瑙石 塔
수마노탑이라 한다. 금탑과 은탑은 후세의 많은 사람들이 귀한 보물에
金塔 銀塔 寶物
탐심을 낼까 염려하여 영구히 보존키 위해 비장하셨다 한다.
貪心 保存 秘藏
적멸보궁이란 부처님의 정골사리를 모신 곳이므로 불상을 모시지 않았으며
頂骨舍利 佛像
이러한 성지를 보궁이라 일컫는다.
聖地 寶宮

정암사적멸보궁
淨岩寺寂滅寶宮

지방문화재 자료 제32호
소재지 : 강원도 정선군 고한읍 고한리

정암사(淨岩寺)는 신라(新羅) 선덕여왕(善德女王)때 자장율사(慈藏律師)가 창건한 옛 사찰이다.

적멸보궁(寂滅寶宮)은 이 절의 법당에 해당하는 건물로 불상을 모시지 않았으며, 불상 대신 적멸보궁의 뒤 산중턱에 석존(釋尊)의 진신(眞身) 사리(舍利)를 봉안한 수마노탑(水瑪瑙塔)이 있다.

건물의 양식은 자연석 기단위에 세워진 전면 3간(間), 측면 2간(間)의 겹처마 팔작(八作)지붕이다.

CHŎNGMYŎLBOGUNG HALL

Kangwon-do Cultural Property
Material No. 32

This is the main prayer hall of Chŏng-amsa Temple which was established by Monk Chajang-yulsa during the reign of Queen Sŏndŏk-yŏwang (r. 632-647) of the Shilla Kingdom (57 B.C.-A.D. 935). It is unusual in that a Buddhist image is not enshrined in the main hall. This is because it was built to protect the Sumanot'ap Pagoda in front of it where the sari (the calcified remains of a holy person after cremation) of Sakyamuni, the Historic Buddha, is enshrined.

The building, which is three by two Kan (a traditional unit of measure referring to the space between two columns), stands on a foundation of undressed stones and has a hipped-and-gabled roof.

https://blog.naver.com/hoilsanta/221544408914

2011년 1월 4일

5. 상원사 : 강원 평창 진부 동산 오대산('11,2,21 월 맑음)

- 이하 옮겨온 글 -

이 절은 705년(성덕왕 4)에 성덕왕이 창건했다. 효소왕(692~701 재위) 때 신문왕의 아들인 보천(寶川)과 효명(孝明) 두 왕자가 오대산에 입산하여 동쪽에 있는 만월산(滿月山)에는 일만관음보살을, 서쪽에 있는 장령산(長嶺山)에는 일만대세지보살을, 남쪽에 있는 기린산(麒麟山)에는 일만지장보살을, 북쪽에 있는 상왕산(象王山)에는 일만미륵보살을, 중앙에 있는 지로산(地盧山)에는 일만문수보살을 첨례(瞻禮)했다.

그뒤 성덕왕이 된 효명이 다시 이 산을 방문하여 진여원(眞如院)을 창건하고, 문수보살상을 조성하여 봉안함으로써 이 절이 창건된 것이다.

그뒤 1376년(우왕 2)에 영암이 중창했다. 1464년(세조 10) 왕이 이곳에 행차했다가 문수보살을 배알한 후 고양이 덕분에 자객으로부터 목숨을 건졌다고 하는 일화가 전하는데 이로 인해 다음해에 중창하고 전답을 하사했으며, 이것을 영산부원군 김수온(金守溫)에게 기록하도록 했다. 〈상원사중창권선문 上院寺重創勸善文〉이 남아 있다.

1469년(예종 1)에 세조의 원찰(願刹)이 되었다. 1904년에 선원(禪院)을 개설하고 1907년에 수월화상이 주석하면서 선풍을 떨치게 되었다. 현존 당우로는 선원인 청량선원(淸凉禪院), 승당인 소림초당(小林草堂), 종각인 동정각(動靜閣), 영산전 등이 있다. 중요문화재로는 목조문수동자좌상(국보 제221호), 문수동자좌상에서 발견된 복장유물 23점(보물 제793호), 동종(국보 제36호) 등이 있고, 〈상원사중창권선문〉은 한문과 한글이 병기되어 있어 한글연구에 귀중한 자료이다.

https://blog.naver.com/hoilsanta/221545261588

2011년 2월 23일

6. 상원사(월정사 적멸보궁(上院寺 寂滅寶宮)): 강원 평창 진부 오대산('11,3,4 목 맑음)

상원사 적멸보궁은 신라의 고승 자장율사가 당나라에서 가져온 부처님의 정골 사리를 모신 곳이다. 전각 뒤쪽 작은 언덕에 높이 50㎝ 정도의 세존진신탑묘로 불리는 탑 속에 모셔 두었다고 한다. 혹 어떤 사람들은 진신사리의 보존을 위해서 아무도 몰래 탑묘 조금 위쪽에 있는 바위 속에 숨겨 두었을지도 모른다는 말도 있다고 한다. 아무턴 오대산 중심 줄기인 비로봉 아래 용머리에 해당하는 곳으로 조선 영조 때 어사 박문수가 팔도를 관찰하던 중 이곳을 보고 명당이라 하여 감탄하였다고 한다.

월정사 적멸보궁
月精寺 寂滅寶宮

강원도 유형문화재 제28호
소재지 : 강원도 평창군 진부면 동산리

적멸보궁은 석가모니의 진신사리를 봉안한 사찰의 법당을 일컫는다. 태백산 정암사와 설악산 봉정암, 사자산 법흥사 오대산 월정사의 적멸보궁 등 강원도의 네 곳과 경남 양산 영취산 통도사의 적멸보궁을 합하여 5대 적멸보궁이라 한다.

월정사 적멸보궁은 신라 선덕여왕 때 자장율사가 당나라에서 돌아오면서 석가의 진신사리를 가져와 오대산에 봉안하고 이 보궁을 창건하였다.

현재의 건물은 낮은 한 단의 기단 위에 정면 3칸, 측면 2칸의 규모로, 단층인 팔작지붕의 겹처마 집이다. 건물 전면의 중앙에만 두 짝의 판문을 달고, 좌우측에는 중방을 설치하고 창간 아래는 판벽을 하고, 그 위에 띠살창을 한 점이 특이하다.

이 건물은 그간 조선시대 후기에 조성된 것으로 추정되어 왔으나, 최근 건물 내부의 구조에서 15세기 후반 양식의 다포와 고식 단청, 배흘림기둥 등의 특징이 조사되어 조선 전기에 조성된 것으로 보고 있다. 그리고 적멸보궁은 보통의 법당과 달리 겹칸과 측칸이 벽으로 구분된 겹집의 형태라는 사실이 보고되어 있다.

Woljeongsa Jeongmyeolbogung

Gangwon-do Tangible Cultural Property No. 28

Jeokmyeolbogung is the sanctum of the temple. The Sarira of the Buddha were placed here. Jeokmyeolbogungs in Gangwon Province at Jeongamsa Temple, Mt. Taebaeksan ; Bongjeongam Temple, Mt. Seoraksan ; Beopheungsa Temple, Mt. Sajasan ; and Woljeongsa Temple, Mt. Odaesan, and one in Tongdosa Temple, Mt. Yeongchwisan in Yangsan, Gyeongnam Province are regarded as the five greatest Jeokmyeolbogungs in Korea.

Legend says that the Buddhist monk Jajangyulsa brought back the Sarira of the Buddha when he returned from China. He enshrined them in this Jeokmyeolbogung and established Woljeongsa temple. The legend survives and Woljeongsa Temple is revered as a resting place of Buddha remains.

The single-storied building with a Paljak roof was constructed on a single low podium and has three rooms at the front and two rooms at the sides. Two doors are at the center front of the building and Junghang can be seen on either side.

This Jeokmyeolbogung is in the Dapo style of the late 15th century or early in the Joseon Dynasty period. Paintings, pillars with entasis also indicate this construction time. Although the style is typically Joseon it is not typical of Buddhist sanctums.

https://blog.naver.com/hoilsanta/221546109106

2011년 3월 14일

7. 낙산사(洛山寺) : 강원 양양 강현 진진('11,5,20 금비)

금강산, 설악산과 함께 관동 3대 명산의 하나로 손꼽히는 오봉산 자락에 자리잡은 낙산사는 관음보살이 설법을 펼치며 항상 머무는 곳을 이르는 보타낙가산에서 그 이름이 유래한 것으로, 역대로 지위와 신분을 떠나 관음진신을 친견하려는 참배객들의 간절한 발원이 끊이지 않고 이어져 왔습니다.

특히 낙산사는 동해바다가 한눈에 내려다보이는 천혜의 풍광과 부처님진신사리가 출현한 공중사리탑, 보물로 지정된 건칠관음보살좌상, 동양 최대의 해수관음상, 천수관음상 칠관음상 등 모든 관음상이 봉안된 보타전, 창건주 의상대사의 유물이 봉안된 의상기념관 등 숱한 성보문화재를 갖추고 있어 관음성지이자 천년고찰로서 전 국민의 사랑을 받고 있습

니다.

낙산사는 지난 2005년 4월 대형 산불로 인해 많은 당우가 소실되고, 아름다움을 자랑하던 경관이 크게 훼손되었음에도 불구하고, 그동안 낙산사를 아끼고 사랑해주신 국민들과 불자님들의 성원에 힘입어 이제 새롭게 천년고찰 불사를 향해 한 걸음 한걸음 나아가고 있습니다.

- 이상 옮겨온 글 -

https://blog.naver.com/hoilsanta/221547413179

2011년 5월 20일

8. 봉정암(鳳頂庵) : 강원 인제 용대 내설악('11,5,30 월 맑음)

오대 적멸보궁의 하나인 봉정암을 백담사에서 봉정암까지 갈 때 3시간 24분, 올 때 3시간 8분 걸려서 다녀왔다. 5월의 신록이 우거진 백담사 계곡을 거슬러 올라가면 장엄한 내설악이 태고의 신비를 품고 있다. 인간이 감히 일일이 필설로 대할 수 없어 필을 들었다 놓는다.

- 이하 옮겨온 글 -

설악산의 가장 높은 곳에 위치한 암자가 봉정암이다.
해발 1천 2백 44m로 5월 하순에도 설화를 볼 수 있는 암자로 백담사에서 대청봉을 향하는 내설악에 최고의 절경을 이룬 용장성 기암괴석 군 속에 있다.

봉정암은 내설악 백담사의 부속 암자로 신라 선덕여왕 13년(644년)에 자장율사가 중국 청량산에서 구해온 부처님의 진신사리를 봉안하려고 시창했다는 것이 정설이다. 그 후 원효대

사와 고려 때 보조국사가, 조선 때는 환적 스님과 설정 스님이 쓰러진 암자를 다시 중창했던 것이고, 봉정암 가는 길은 그야말로 극기 훈련과 다름없다.

6시간의 산행은 기본이고 산비탈에 설치된 로프를 잡고 수십 번의 곡예를 반복해야 한다. 가장 힘든 코스는 깔딱고개다. 누구든 평등하게 두 발과 두 손까지 이용해야만 오를 수 있는 바윗길인 것이다.

봉정암에는 다음과 같은 이야기가 스님이나 신도들 사이에서 자연스럽게 나온다.

겨울철 전에 암자를 내려가는 스님은 빈 암자에 땔감과 반찬거리를 구하려고 하산을 하고, 또 암자를 찾아가는 스님은 한 철 먹을 양식만을 등에 지고 올라가 수행해야 하는 것이다 암자의 법당인 적멸보궁에는 일반 법당과 달리 불상이 없다. 산정의 5층 석탑에 불사리가 봉안돼 있기 때문이다. 그러고 보니 참례하는 이는 나그네만이 아니다. 산봉우리에 솟구친 거대한 바위들은 천년을 하루 같이 탑을 향해 참례하고 있는 것이다.

봉정암에서 1㎞를 더 오르면 소청봉에 닿고 계속해서 중청봉과 대청봉에 이른 후 오색약수나 천불동계곡으로 하산할 수 있다.

https://blog.naver.com/hoilsanta/221548303837
2011년 5월 31일

9. 백담사(百潭寺) : 강원 인제 용대 내설악('11,5,31 화비)

백담사(百潭寺)의 뜻

1. 설악산 대청봉 꼭대기에서 계곡을 따라 내려오면 곳곳에 소(沼)가 있습니다.
정확히 100번째 소가 있는 곳이 바로 이 백담사 입니다.
그래서 이름을 백담사(百潭寺)라고 지었다고 하지요?

2. 매표소에서 백담사까지는 8㎞에 이르는 백담계곡이 깨끗한 암반과 소를 이루고 주변의 나무들과 어우러져 아름 다움을 한껏 드러낸다. 계곡을 따라 아스팔트와 시멘틀로 포장된 길이 나 있고 백담사에서 운행하는 셔틀버스를 이용할 수 있다. 셔틀버스 종점에서 3㎞ 쯤 걸으면 백담사에 닿는다.

내설악을 대표하는 절인 백담사는 신라 진덕여왕 1년(647년)에 자장이 세운 장수대 부근의 한계사라는 절이었는 데, 창건 이래 지금의 백담사로 불리기 시작한 1783년까지 무려 일곱 차례에 걸친 화재를 만났으며, 그때마다 터 전을 옮기면서 이름을 바꾸었다.

백담사라는 이름을 짓게 된 데에는 다음과 같은 이야기가 전해지고 있다. 거듭되는 화재로 절 이름을 고쳐보려고 하던 어느날 밤, 주지의 꿈에 백발노인이 나타나 대청봉에서 절까지 웅덩이를 세어보라고 해서 이튿날 세어보니 100개였다. 그래서 담(潭)자를 넣어 백담사(百潭寺)로 이름을 고쳤는데 그 뒤로는 화재가 없었다고 한다. 그러나 1915년 겨울밤에 화재가 발생해 건물 70여칸은 물론 경전과 종까지도 모두 태워 다시 불사가 일어났다.

백담사는 만해 한용운이 머물려 「조선불교유신론」, 「님의 침묵」 등을 집필하였던 곳으로 유명하다. 현족하는 부속암자로는 선덕여왕 12년(643년) 자장이 창건하여 부처사리를 봉안함으로써 우리나라 5대 적멸보궁의 하나가 된 봉정암, 자장이 관음진신을 친견하였다는 관음암의 후신인 오세암이 있다.

- 이상 옮겨온 글 -

https://blog.naver.com/hoilsanta/221548307965

2011년 6월 1일

제4부 경기도 절 108 순례

한반도의 중앙에 경기도가 있다. 경기라는 말은 서울을 중심으로 하여 가까운 주위 지방을 이르는 말로 사전에는 나와 있다. 세간에서는 왕이 관리하는 지역 이라 했다.

좌우간 나라의 핵심지역임에는 틀림없는 것 같다. 도민이 1천만을 넘는 전 국민의 1/5이 이상이 거주하는 거대한 도시 같은 도다. 상공업이 발달하고 경제, 교통, 문화, 사회, 교육 등 서울에 버금가는 중심지다. 따라서 수많은 절이 곳곳에 산재해 있다.

어느 지역이나 비슷하겠지만 경기도 절의 특징이라면 최근에 폭발적으로 늘어나는 인구에 비례하여 신생 절도 많이 생겨나는데, 최근의 절은 좀 더 주민들 가까이 다가서는 모양으로 주택가 가운데도 눈에 뜨인다.

1. 용주사(龍珠寺) : 경기 화성(2009년, 1월, 24일 토 눈)

간밤에 내린 함박눈이 장송의 소나무 숲에 둘러 쌓인 조용한 산사를, 더욱 고요하게 하는 분위기 속으로 찾아 들어 갔다. 눈내리는 절간에는 신비감 마저 감도는데 낭랑한 스님의 불경 소리는 심경을 울린다.

- 이하 옮겨온 글 -

본래 용주사는 신라 문성왕 16년(854년)에 창건된 갈양사로써 청정하고 이름 높은 도량이었으나 병자호란 때 소실된후 폐사되었다가 조선시대 제22대 임금인 정조(正祖)가 아버지 사도세자의 능을 화산으로 옮기면서 절을 다시 일으켜 원찰로 삼았습니다.

28세의 젊은 나이에 부왕에 의해 뒤주에 갇힌 채 8일만에 숨을 거둔 사도세자의 영혼이 구천을 맴도는 것 같아 괴로워하던 정조는 보경스님으로부터 부모은중경(父母恩重經)설법을 듣게되고 이에 크게 감동, 부친의 넋을 위로하기 위해 절을 세울 것을 결심하면서 경기도 양주 배봉산에 있던 부친의 묘를 천하제일의 복지(福地)라 하는 이곳 화산으로 옮겨와 현릉원(뒤에 융릉으로 승격)이라 하고, 보경스님을 팔도도화주로 삼아 이곳에 절을 지어 현릉원의 능사(陵寺)로서비명에 숨진 아버지 사도세자의 능을 수호하고 그의 명복을 빌게 하였습니다. 불교가 정치적 사회적으로 억압을 당하고 있던 당시에 국가적 관심을 기울여 세웠다는 점에서 역사적인 큰 의미를 가지고 있습니다. 낙성식날 저녁에 정조가 꿈을 꾸었는데 용이 여의주를 물고 승천했다 하여 절 이름을 용주사라 불렀고 그리하여 용주사는 효심의 본찰로서 불심과 효심이 한데 어우러지게 되었습니다. 전국 5규정소(糾正所:승려의 생활을 감독하는 곳) 중의 하나가 되어 승풍을 규정했으며, 팔로도승원(八路都僧院)을 두어 전국의 사찰을 통제했습니다.

또한 일찍이 31본산의 하나였으며 현재는 수원, 용인, 안양 등 경기도 남부지역에 분포하고 있는 80여개의 말사, 암자를 거느리고 있습니다. 현재 절의 신도는 약 7천여 세대에 달하며 정기, 비정기적으로 많은 법회가 이루어지고 또 법회를 통해 교화활동을 행하고 있습니다. 용주사는 이와 같은 수행자들이 모여 면벽참선하면서 진리를 찾고 한편으로는 다양한 대중포교 활동을 통해 부처님의 지혜를 전하며, 또한 정조의 뜻을 받들어 효행교육원을 설립, 운영을 통해 불자교육을 서원으로 일반인도 누구든지 쉽게 공감할 수 있는 효행교육으로 불교신행관과 인성교육을 사회로 회향하고자 노력하고 있습니다.

용주사(龍珠寺)는 조계종의 절로 경기도 화성시 송산동 화

산에 위치해 있다. 국보 120호로 지정된 종이 있다.

https://blog.naver.com/hoilsanta/221513150799

2009년 1월 25일

2. 청계사(淸溪寺) : 경기 의왕 청계 산11번지(淸溪山)

겨울이 마지막 기승을 부리는지 산수유가 꽃망울을 키워가는 2월의 중순인데도 영하의 날씨가 이어진다. 그래도 오후의 양지에는 따스한 봄기운이 감도는 햇빛이 스미고 있음을 볼 수가 있다. 그 햇살을 따라 의왕시에 있는 청계산 아래 청계사를 찾았다.

-이하 옮겨온 글 -

청계사는 신라말 고려 충렬왕 때 창건하였으며, 조선 시대에 이르러 선종의 총 본산으로 한국 불교사에 중요한 위치를 차지하고 있는 불교계의 대표적인 사찰이다.
그동안 역대 큰 스님들의 원력과 신도들의 간절한 발원으로 전법 불사를 시작 이래 경기지역의 포교 1번지로써 청계사는 중요한 위치를 차지하게 되었다.

전법의 가장 중요한 목표는 불자 교육 및 조직화이므로 제반 사업 운용을 온·오프라인을 병행하여 모든 불자들이 일상생활에서 신행 및 문화 활동을 통하여 변화된 삶의 모습에서 성취감으로 삶의 질을 향상시키고 더 나아가 현장에서 전법 교화하여 각성된 사회를 이룩해 나가기 위하여 사찰운영위원회를 통하여 효율적인 종무 운영 및 신도 활성화를 위하여 포교 활동의 기틀을 마련해 나가고 있다.

또한 21세기 시대변화에 따라 지역사회발전을 위하여 사회복지 서비스 차원에서 각 기관과 유관 공조 체제를 통하여 공존하며 더 나아가 지역주민들을 위한 정신적 귀의처로써 전법 활동에 앞장서 나가고 있다.

https://blog.naver.com/hoilsanta/221513835832

2009년 2월 17일

3. 만의사(萬儀寺) : 경기 화성 동탄 무봉산

만의사는 경기도 화성시 동탄면 무봉산에 있는 사찰로서 대한불교조계종 제2교구 본사인 용주사의 말 사입니다. 신라 때 창건되었으나 1669년(현종 10) 절터가 송시열의 장지로 선택되자 현재의 위치로 옮기게 되었답니다. 1796년(정조 20) 수원 화성을 쌓을 때 이 절의 동종을 가져다가 팔달문에 옮겨 달았으며, 1894년(고종 31)에는 지장전이 무너져 내려서 안에 있던 지장보살상과 십대왕상, 판관상, 사자상, 인왕상 2구를 용주사로 옮겼다 합니다.

https://blog.naver.com/hoilsanta/221513851024

2009년 3월 10일

4. 와우정사 : 경기 용인 해곡 인화산(2009년 3월 21일) 토 맑음

1970년 실향민인 해월삼장법사가 부처님의 공덕을 빌어 민족 화합을 이루기 위해 세웠다고 한다.

여러 불상 중 절 입구에 세워진 불두와 산 중턱에 있는 와불이 가장 유명하다. 높이 8m인 불두는 기네스북에 세계 최대 불상으로 기록될 정도로 초대형이며, 거대한 규모의 와불(누워있는 불상)은 높이 3m, 길이 12m에 이르는 것으로 인도네시아에서 들여온 통향나무를 깎아만든 것이다.

또한 경내에 있는 거대한 불두와, 황동 5만근으로 10년 간 만든 황동5존불, 무게 12톤에 이르는 통일의 종, 그리고 우리나라 최대의 청동미륵반가사유상이 있으며 석조약사여래불 등

도 찾아볼 수 있다.

열반전에 이르는 계단 옆의 통일의 돌탑은 세계 각 국 불교 성지에서 가져온 돌로 쌓은 것으로 방문객들에게 많은 의미를 남겨준다.

와우정사는 세계 각 국의 불교단체와 많은 교류를 하는 사찰로서 현재 사찰 내 회관에는 세계불교도총연맹본부, 세계불교문화교류협회, 한 · 스리랑카, 한 · 미얀마 불교문화교류협회 등의 단체가 있으며 현재 수많은 고승과 불교계의 대표들이 방문하고 있다.

- 이상 옮겨온 글 -

https://blog.naver.com/hoilsanta/221513859814

2009년 3월 22일

5. 신륵사 : 경기 여주 북내 천송 봉미산 (2009,3,27 목 맑음)

대한불교조계종 제2교구 본사인 용주사(龍珠寺)의 말사이다. 신라 진평왕(579~631 재위) 때 원효(元曉)가 창건했다고 하나 정확하지 않으며, 신륵사라 부르게 된 유래에 대한 여러 가지 설이 있다. 〈동국여지승람〉 권7 여주목불우조(驪州牧佛宇條)에 의하면 신륵사는 보은사(報恩寺) 또는 벽사(甓寺)라고도 불렀다고 한다. 벽사는 고려시대에 경내의 동쪽 언덕에 벽돌로 된 다층전탑이 세워지면서 붙여진 이름이다. 이 절이 대찰(大刹)이 된 것은 나옹화상(懶翁和尙 : 혜근)이 입적할 때 기이한 일이 일어난 뒤부터이다. 1379년(우왕 5) 각신(覺信)·각주(覺珠) 등이 절의 북쪽에 사리를 봉안한 부도와 나옹의 초상화를 모신 선각진당(先覺眞堂)을 세우면서 많은 전각을 신축하고 중수했다. 1382년에는 2층의 대장각(大藏閣) 안에 이색과 나옹의 제자들이 발원해 만든 대장경을 봉안했다. 조선시대에는 억불정책으로 인해 절이 위축되었으나 1469년(예종 1)에 영릉(英陵 : 세종의 능)의 원찰(願刹)이 되었고, 1472년(성종 3) 절이 확장되고 다음해에 정희왕후가 보은사로 개칭했다. 임진왜란과 병자호란의 양란으로 폐허가 되었다가 1671년(현종 12)에는 계헌(戒軒)이, 1702년(숙종 28)에는 위학(偉學)·천심(天心) 등이 중수했다. 1858년(철종 9) 순원왕후(純元王后)가 내탕전(內帑錢)을 희사해 중수했다. 현존 당우로는 금당인 극락보전을 비롯하여 조사당(祖師堂 : 보물 제180호)·명부전·심검당·적묵당·노전(爐殿)·칠성각·종각·구룡루(九龍樓)·시왕전 등이 있다. 또한 다층석탑(보물 제225

호)·다층전탑(보물 제226호)·보제존자석종(普濟尊者石鐘 : 보물 제228호)·보제존자석종비(보물 제229호)·대장각기비(大藏閣記碑 : 보물 제230호)·석등(보물 제231호) 등과 같은 문화재들이 있다.

- 이상 옮겨온 글 -

https://blog.naver.com/hoilsanta/221514716474

2009년 3월 29일

6. 봉영사(奉寧寺) : 경기 수원 팔달 우만 248
(2009,4,11 토 맑음)

대한불교조계종 제2교구 본사인 용주사의 말사이다. 1208년(고려 희종寺로 이름을 바꾸었고, 1469년(조선 예종 1) 혜각이 절을 확장하여 별당과 요사채를 새로 짓고 봉녕선원을 열었으며, 1975년에는 승가학원을 열었다. 뒤에 봉녕선원은 비구니 율원이 되고 승가학원은 1983년 승가대학으로 이름이 바뀌었다. 1979년 비구니 묘엄이 주지로 부임하고 1989년 도서관, 1991년에는 육화당(六和堂)이라는 대강당을 지어 비구니 교육의 중심 도량이 되었다. 1999년 6월에는 봉녕선원을 금강율원으로 이름을 바꾸고 개원하였다.

주요 건물로는 대웅전을 비롯하여 약사전 ·종각·금강

율원 · 육화당 · 소요삼장원 등이 있다. 대웅전 안에는 석가모니불상이 있고 불상 뒤로 후불탱화와 신중탱화 등이 걸려 있다. 대웅전에 모셔진 석조삼존불이 경기도 유형문

화재 제151호로 지정되었다.한편 약사전에 걸려 있는 영산회상도는 1878년에 제작된 것이다. 가로 198cm, 세로 124cm의 크기로 윗부분의 3분의 1쯤이 변색되었다. 칠성탱화 역시 1878년에 제작된 것으로 가로 118cm, 세로 144cm의 크기이다. 가운데에 치성광여래, 위쪽에 칠여래, 아래쪽에 칠원성군과 칠성을 그렸으며 인물 크기를 조절하고 구름을 이용하여 원근법을 사용한 점이 독특하다. 그 밖에 1881년에 제작된 신중탱화와 1878년에 제작된 현왕탱화는 함께 경기도 유형문화재 제152호로 지정되었다.
- 이상 옮겨온 글 -

ttps://blog.naver.com/hoilsanta/221515599111

2009년 4월 13일

7. 용화사(龍華寺) : 경기 수원 권선 칠보산(2009년 4월 18일 금 맑음)

수원의 서쪽에 자리하고 있는 칠보산 아래에 용화사라는 절이 있다. 칠보산은 수원시와 안산시의 경계를 이루고 있는 산이다, 용화사는 수원시의 호매실에 위치하고 있다. 석조비로자나불좌상, 석조석가여래좌상, 석조동자상 등의 유물이 있으며, 수원시민들 기도의 도량으로써 날로 발전을 거듭하고 있는 사찰이다. 어린이 행사 등 사회 봉사적인 활동도 활발하다.

https://blog.naver.com/hoilsanta/221515608886

2009년 4월 18일

8. 칠장사 : 경기 안성 죽산 칠현산(2009년 5월 9일 토 맑음)

- 이하 옮겨온 글 -

칠장사가 창건된 시기는 정확히 알 수 없으나 10세기경에는 사찰이 경영되었던 것으로 추정된다. 고려 현종 5년(1014)에는 혜소국사(慧炤國師)가 왕명으로 중창하였는데, 칠장사와 칠현산이란 이름도 국사가 이곳에 머물면서 7명의 악인을 교화하여 현인으로 만들었다는 설화에서 유래되었다. 우왕 9년(1383)에는 왜구의 침입으로 충주 개천사(開天寺)에 있던 고려역조실록(高麗歷朝實錄)을 이곳으로 옮겼다는 기록으로 미루어 이사찰이 당시 교계에서 중요한 역할을 차지하였음을 알 수 있다. 공양왕 원년(1389)에 왜구가 사찰을 전소시킨 후 오랫동안 복구되지 못하다가 조선 중종 원년(1506)에 홍정대사가 가람을 증건하였고 인종 원년(1623)에는 인모대비가 아버지 김제남과 아들 영창대군의 원찰로 삼아 크게 증창하였다. 현종 15년(1674)당시 세도가들이 장지(葬地)로 쓰기 위하여 불태운 후 초견대사가 건물들을 증건하였으나 숙종 20년(1694)에 세도가들이 또다시 사찰을 불태웠다. 숙종30년에 석규대사가 대법당과 태청루 등의 건물을 증건하였고 영조 원년(1725)에는 선진대사가 원통전을 세웠다. 이후에도 많은 건물의 영건 활도이 잇따랐으나 오히려 사세(寺勢)가 약해져 이전의 영화를 되찾지 못하였다. 현재 경내에는 대웅전과 원통전을 비롯한 12동의 건물과 혜소국사탑 및 탑비, 철제당간 등의 유물만 남아 현재에 이르고 있다.|

https://blog.naver.com/hoilsanta/221517333313

2009년 5월 11일

9. 청련사(靑蓮寺) : 경기 수원 장안 조원 (2009년 5월 17일 일 오후맑음)

수원의 광교산 기슭에 있는 조계종으로 용주사의 말사이다. 주택지 인근에 자리하여 전통적인 산속의 사찰과는 비교가 되는 절이다. 불교는 사람 사는 곳으로부터 멀리 떨어져서, 닭이 우는 소리나 개 짖는 소리가 들리지 않는 속세를 떠난 산속 깊은 곳에서 수도를 하고 기도를 하는 것으로 인식되어 왔으나, 최근에는 절 마당에 개가 누워있기도 하고 마을 부근에서 주민과 교감을 하는 절들이 생겨나고 있는 것이다. 이러한 시대적 변화를 타고 청련사에서는 병설로 유치원도 운영하고 있다.

https://blog.naver.com/hoilsanta/221517336487

2009년 5월 18일

10. 정혜사 : 경기 수원 파장(2009년 5월 31일 일 맑음)

정혜사라는 이름은 전국에 수도 없이 많은 사찰명이다. 대개 그다지 크지도 않고 조그마한 암자 같은 절들이 많은 걸로 알고 있다.

그중에 하나인 수원 파장동의 광교산 입구 마을뒷산 아래에 있는 정혜사는 수원 시민에게 닥아서는 절이다. 마을 골목길을 따라 들어 가면 등산로로 이어지고, 오른쪽으로 3층벽돌 양옥집으로 되어 있었어 얼핏 보아서는 절같지 않아 보인다. 주차장겸 마당에 들어서면서부터 분위기는 백팔십도 달라진다. 첫눈에 고향집 마당같은 정감이 간다. 일반적으로 절에 가면은 무엇인가 엄숙해 지고 조심스러워 진다. 하지만 여기 정혜사는 고요하면서 안온함과 평화로움이 배어 있고 어머님 품속같다. 부처님의 자애로움이 그대로 살아 있다.

2층 법당은 단조롭고 정갈하고 군더더기가 없는 따뜻한 분위기다. 형언키 어려운 자비로운 불상이 다소곳이 앉아 있다. 절로 마음이 부드러워 지고 편안해진다. 수양을 별도로 할 필요도 없이 여기에 있으면 그냥 제절로 부처님이 될것같다.

이러한 마음으로 가꾸어놓은 각종 꽃들도 특별히 재주를 부린것도 아닌 것 같은데 자연스러운 아름다움이 넘쳐나고 있었다. 그래서 어제도 가고 오늘 또 가보고 사진도 있는 대로 찍어 왔다.

https://blog.naver.com/hoilsanta/221518185071

2009년 6월 1일

11. 백운사(白雲寺) : 경기 의왕 왕곡 백운산(2009년 6월 10일 수 흐림)

백운사는 경기도 의왕시 왕곡동 산4-1번지에 위치하고 있다. 백운산 아래 淸風金氏 마을을 지나 백운산 자락을 올라간 곳이다. 백운산의 서쪽 중턱으로 산은 의왕시의 동쪽에 위치하고 있다. 이곳은 옛날 영평현(永平縣)에 속해 있었다. 대한불교조계종 제2교구 본사인 용주사의 말사인 백운사는 경기도 의왕시 왕곡동 산4-1번지 백운산(白雲山) 서쪽 중턱에 위치하고 있다.

절이 위치한 백운산은 일대에서 가장 높고 큰 반면 부드러운 능선과 계곡을 지니고 있어 어머니 품과 같이 편안한 느낌을 자아낸다. 백운사는 그러한 산의 분위기를 그대로 간직하고 있다. 전하는 바에 의하면 백운사는 신라 말사찰

에 도선국사가 창건하였다고 하지만 정확한 창건연도와 창건주는 알 수 없다. 창건 이후 절의 역사도 자세히 전하고 있지 않지만 적어도 조선시대 동안에는 비교적 큰 규모의 사찰로 계속 법등을 이어왔던 것으로 보인다. 그러나 조선 고종31(1894년)에 산불로 소실되고 말았다.

현재의 백운사는 절 아래 마을에 살던 청풍김씨가 고종 32(1895)년에 현재의 자리로 옮겨 중창한 것이다. 절의 내력은 명확하지 않지만 백운사는 근대 한국불교사를 대표하는 선승인 金烏 대선사가 머물면서 수행승들을 지도했던 곳으로 유명하다. 1971년에는 비구니 정화(貞和) 스님이 주석하면서 도량을 개수한 바 있다. 현재는 2002년에 중건한 대웅전을 비롯하여 요사채 1채와 해우소 1채가 있는 작은 규모의 사찰이다. 현재 주지 스님으로 법정 스님이 주석하고 계신다. 정기법회로는 매월 음력 24일의 신도회법

회를 비롯하여 보름법회와 초하루법회 및 관음재일 인등기도를 개최하고 있다. 또한 다양한 연령층을 위하여 유아부법회를 비롯하여 학생부, 청년부법회를 개최하고 있다.

- 이상 옮겨온 글 -

https://blog.naver.com/hoilsanta/221518187792

2009년 6월 10일

12. 장안사 : 경기 화성 장안(2009년 7월 10일 목 맑음)

장안사는 전국에 수도 없이 많은 절이름이다. 그러나 이번에 간 절은 서해안 바닷가에 붙은 조그마한 암자 같은 절이다. 노스님 한분이 계신다.

https://blog.naver.com/hoilsanta/221518805823

2009년 7월 10일

13. 삼막사(三幕寺) : 경기 안양 석수 삼성산 (2009년 8월 21일 금 맑음)

대한불교 조계종 제2교구 본사인 용주사의 말사이다. 〈사지 寺誌〉에 의하면 677년(신라 문무왕 17)에 원효대사가 창건했으며, 신라말에 도선국사(道詵國師)가 중건하고 관음사(觀音寺)라 부르다가 고려시대에 왕건이 중수한 후 삼막사라고 개칭했다고 한다.

1394년(태조 3)에 무학왕사(無學王師)가 머물면서 국운의 융성을 기원한 것으로 인해 1398년 태조의 왕명으로 중건되었다. 그뒤에도 몇 차례의 대대적인 중수가 있었으며, 1880년(고종 17)에는 의민(義旻)이 명부전을 짓고 이듬해에 칠성각 등을 완공했다. 현존 당우로는 대웅전 · 명부전 · 망해루(望海樓) · 대방(大房) · 칠성각 · 요사채 등이 있

으며, 중요문화재로는 마애삼존불상(경기도 유형문화재 제94호), 동종, 3층석탑, 거북이 모양의 석조(石槽) 등이 있다.

- 이상 옮겨온 글 -

https://blog.naver.com/hoilsanta/221520340699

2009년 8월 21일

14. 화운사(華雲寺) : 경기 용인 처인 삼가 메주골 견조산(2009년 8월 22일 토 맑음)

1937년 경, 사업가이셨던 어느 거사님이 계셨다. 좋은 가문에 태어나 부를 누리다가 어느날 사업에 실패하여 말 그대로 알거지가 되셨다. 실의에 잠긴 그 거사님은 그래도 부처님에 대한 신심이 있으셨던지 관악산 연주암에 올라 백일기도를 드리게 되었다. 공양미가 없어 좁쌀로 공양을 지어 부처님 전에 마지를 올리시면서...그러면서 원을 세우셨단다. "부처님, 제가 다시 부자가 된다면 이사회에 좋은 일을 많이 하는 사람이 되겠습니다. 그 길을 열어주십시오" 간절히 간절히...

그때 당시의 연주암은 지금처럼 번창하지 못하여 초라한 대웅전이 무너질듯 말듯 위태했으나 마땅한 시주자도 없었

다 한다. 그 거사님은 알거지 신세에 단 하나 남은 초가삼간을 팔아서 대웅전의 기둥을 다시 세우셨다고 한다. 아, 얼마나 대단한 신심인가. 그로부터 백일기도 끝나기 며칠 전, 평소 알고 지내던 사업가 친구분이 절로 찾아왔단다. 같이 메주 만들때 쓰는 누룩 사업을 해보자며... (화운사가 있는 동네 이름이 메주골이다)

그 사업으로 그 거사님은 많은 돈을 벌어 지금의 화운사를 창건하여 부처님께 바쳤다. 지금은 조계종 2교구 용주사의 말사로 등록되어 있으니 종단에 기부한 것이겠지. 그 밖에도 고아원을 설립하여 사회에 환원하고 어느 학교에 남은 재산을 기부하시고 돌아가셨단다. 부처님 전에 한 약속을 그대로 실행에 옮긴 것이었다.

- 이상 옮겨온 글 -

https://blog.naver.com/hoilsanta/221520343583

2009년 8월 22일

15. 보장사 : 경기 안양 삼성산 안양유원지 (2009년 8 월 29일)

안양유원지 입구에 개울을 건너 좌측으로 삼성산 밑에 자리하고 있는 절이다. 납골을 모시고 있는 건물이 이채롭다. 유원지에 있으나 하등 거부감이 없고 오히려 관광 분위기를 더욱 올려 주는 것 같은 묘한 감을 자아내고 있다.

https://blog.naver.com/hoilsanta/221520347437

2009년 8월 29일

16. 염불암(念佛庵) : 경기 안양 삼성산(안양유원지 안)
2009년 9월 17일 금 맑음

염불암은 경기도 안양시 만안구 석수동 산 17번지에 위치하고 있으며 조계종 제2교구의 말사다. 염불암의 주산은 삼성산이다. 삼성산은 관악산의 지봉으로 관악산과 연계된 등산로는 수도권에서 으뜸일 정도로 유명하며, 주말이면 수많은 관광객들로 발 디딜 틈이 없을 정도다. 또한 염불암 주위에는 맑고 깨끗한 안양천이 흐르고 있다. 안양천 주위에는 수많은 관광지 및 음식점이 만들어져 있어, 등산을 마치고 귀가하는 사람들의 발길을 잡고 있다.

일반인들에게 널리 알려진 삼성산과 안양천 사이에 염불암이 위치하고 있는 것이다. 염불암의 창건은 삼성산의 전설과 연결되어 있는데 신라 문무왕 때 원효, 의상, 윤필

세 조사가 이 산에 들어와 원효대사는 삼막사를 창건하고, 의상대사가 연주암을 세웠으며, 윤필거사가 염불암을 각각 창건해 각각 그 절에서 수도생활을 했다고 한다. 이후 조선초 태종때 왕명에 의해 창건이 되었으며, 본격적인 사찰의 기록은 조선후기에 나타나기 시작한다.

18세기 후반에 편찬된 <여지도서>에 사찰의 존재가 기록되어 있고, <가람고>에도 사찰의 존재가 나타나며, 또한 사내에 위치하고 있는 부도의 명문에 의해 이미 1800년대 초에는 염불암이 크게 번성하고 있었음을 알 수 있다. 이후 수많은 중창 및 불사에 의해 현재와 같은 아름다운 사찰의 모습을 갖게 되었다. 염불암은 삼성산 중에서도 가장 풍광이 좋은 자리에 위치하고 있다. 염불암 사내에 들어서면 수많은 괴암들이 마치 병풍을 두르듯 펼쳐져 있고, 이런 괴암들 사이의 좁은 대지를 적절히 이용해 전각들이 위치하고 있다.

각 전각들은 서로 위계에 따라 각기 다른 높이의 대지를 이용하고 있으며, 각 대지를 한단씩 오를 때마다 각기 다른 새로운 경치를 느낄 수 있다. 안양천과 삼성산에는 최

근 “안양 공공예술 프로젝트”가 진행되었다. 세계의 저명한 예술가, 건축가들이 자신만의 거대 프로젝트를 진행해 이곳저곳에 예술품을 진열해 놓았다. 염불암에 들르면 삼성산의 등산, 수려한 풍광의 염불사와 더불어 세계적인 예술품을 동시에 감상할 수 있는 기회를 갖게 되는 것이다. 절경의 절벽이 병풍처럼 둘러쳐져 아름다운 염불암은 그 역사에 걸맞게 새로운 모습으로 불사를 진행해 왔고, 또한 그 경치를 훼손하지 않으면서, 주위 경관과 더불어 조화로운 모습을 만들어나가기 위해 끊임없이 노력하고 있다.

- 이상 옮겨온 글 -

https://blog.naver.com/hoilsanta/221521230439

2009년 9월 17일

17. 연주암(戀主庵) : 경기 과천 관악산(삼성산) 2009, 9, 20 일 맑음)

연주암을 다녀옴으로 하여 삼성산(관악산)의 유래인 삼막사, 염불암, 연주암 3개의 사찰 모두 다녀오게 되어 감회가 새롭다.

- 이하 옮겨온 글 -

경기도 과천시 중앙동 관악산 남쪽 기슭에 있는 절.

대한불교조계종 제2교구 본사인 용주사(龍珠寺)의 말사이다. 관악산의 최고봉인 연주봉(629m) 절벽에 연주대(경기도 기념물 제20호)가 있고, 연주대에서 남쪽으로 약 300m 지점에 연주암이 있다. 연주암은 본래 관악사로 신라 677년(문무왕 17) 의상대사가 현재의 절터 너머 골짜기에 창건했으며,1396년(태조 4)에 이성계가 신축했다. 그러나

1411년(태종 11)에 양녕대군과 효령대군이 충녕대군에게 왕위를 물려주려는 태종의 뜻을 알고 유랑하다가 이곳 연주암에 머물게 되었는데, 암자에서 내려다 보니 왕궁이 바로 보여 옛 추억과 왕좌에 대한 미련을 버리지 못해 괴로워 한 나머지 왕궁이 안 보이는 현재의 위치로 절을 옮겼다. 연주암이란 이름은 이들 왕자의 마음을 생각해서 세인들이 부르게 된 것이라 한다. 이 절은 지금까지 여러 차례에 걸쳐 중수했다. 1868년(고종 5) 중수작업 때는 극락전과 용화전을 새로 신축했으며, 그뒤에도 1918, 1928, 1936년에 중수작업을 하여 현재에 이른다. 현존하는 당우로는 본당인 대웅전과 금륜보전(金輪寶殿)이 있고, 연주대에 응진전(應眞殿)이 있다. 대웅전 앞뜰에는

https://blog.naver.com/hoilsanta/221521426574

2009년 9월 20일

18. 수원사(水原寺) : 경기 수원 팔달('09,10,17 토 맑음)

수원시 팔달구 남수동 92-1번지에 자리잡은 수원사는 대한불교조계종 제2교구 본사 용주사의 직할 사찰로 수원 인근지역 불자들의 정신적 귀의처이자 메마른 도시인들에게 부처님의 가르침을 전하기 위해 설립되었습니다.

불기2465(1920)년 4월 8일 당시 용주사 주지스님이셨던 강대련 스님이 수원지역 불자들을 위해 '불교보급소'라는 이름으로 창건한 이래, 여러 스님들의 정진과 노력으로 전국에서 부처님의 가르침을 전하고 실천하는 가장 모범을 보이는 사찰(포교당) 중 하나로 꼽히고 있습니다.

그동안 강대련 스님 이후 임무경 포교사, 손계조 포교

사, 최정하 스님, 양우스님, 변법진 스님, 김정락 스님, 이자승 스님께서 주지로 부임하시며 수원사를 중수하고, 요사를 정비했으며 여러 신행 단체를 설립하여 활발한 활동을 펼쳐왔습니다. 수원사는 새로운 불교의 미래를 파악하는 실험적인 무대로, 역사의 소용돌이 속에서도 자신의 모습을 잃지 않고 중창불사를 거듭하여 오늘날의 모습을 갖추어왔습니다.

1986년 9월 28일 성관스님(性觀, 현 주지스님)이 부임하면서 "바르게 알고 실천하는 불자양성"이라는 목표 아래 수원사는 제2의 도약기를 맞이하여, 1987년 수원지역에서 처음으로 청신사(남성)들의 모임인 거사회를 창립하여 여성위주의 불교를 벗어나기 시작하였으며, 포교전문지인 '월간법보' (현재 불교저널 21 통권 227호-2007년 12월 現)를 발행하는등 부처님의 가르침을 전파하는 모범적인 포교도량으로 발전하였습니다.

또한 1988년부터는 불교의 초보입문자를 위해 기초교리 강좌를 개설하여 현재까지 38기 6,500여 명의 시민과 불자들이 12~20주의 기초교리 과정을 졸업하였으며, 졸업생들의 자발적인 모임인 반야회 회원 2,100여 명이 사회 곳곳에서 참다운 불자로서 다양한 봉사활동을 펼치고 있습니다. 한편 법보서적을 운영하며 불교서적을 판매하는 등 포교의 일익을 담당하고 있으며, 사중의 작은 휴식공간인 감로산방과 PARA 원두커피전문점은 누구에게나 맛있는 차와 쉴 수 있는 공간을 제공하여 시민과 불자들의 도심 속 쉼터가 되고 있습니다.

1,000여 평의 대지가 비좁을 만큼 많은 불자가 왕래하고 있어 이들을 수용하고, 포교의 현대화 및 시민들의 문화적 욕구를 채워주기 위하여 1999년에는 연건평 1,000여 평(지하 1층, 지상 5층) 규모의 현대적 설비를 갖춘 불교문화원

을 건립하였으며, 2005년 8월에는 전통 고건축과 현대식 건축기법을 이용한 연건평 200평의 공양각(요사채 · 식당)을 리모델링하여, 수원지역 불자 및 시민들에게 다양한 문화 공간을 제공하고 있으며, 2004년에는 문화관광부에서 주관하는 제1회 템플처치 공연예술제 참여 사찰로, 2004 · 2005년에는 나혜석 추모음악회를 통해 명실공히 문화공연을 소화해 낼 수 있는 사찰로서 거듭나고 있습니다. 그리고 2007년 1월25일 성도재일 대법회날 불교문화원 지하 200여평에 정토마을을 건립하여, 지장보살님과 시왕 및 권속, 지장원불 1090불, 지장본존 탱화등 시왕불화 총11점을 조성하여 낙성하였으며, 지장원불과 함께 돌아가신 영가님을 위한 안치단(사리단)도 함께 마련하여 삶과 죽음이 하나라는 부처님의 진리를 생활 속에서 구현하고자 하였습니다. 또한 지역사회 불교복지와 불법홍포를 위해 관내에 수원서호노인복지회관(연건평 959평 지하2층 지상 3층-수영장시설)을 운영하고 있으며, 2007년 10월에는 경기도로부터 위탁받은 노인주간보호시설 '은빛사랑채-정원15명(만 65세 경증치매어르신 보호시설):재가노인복지시설' 도 함께 운영하고 있습니다. 향후 지역 사회복지 활성화와 고통 받고 소외 받는 이웃을 위해 지속적인 노력을 해 나갈 것입니다.

- 이상 옮겨온 글 -

https://blog.naver.com/hoilsanta/221522104568

2009년 10월 19일

19. 성불사(成佛寺) : 경기 군포 산본 수리산('09,10,25 일 맑음)

경기 군포시 산본 전철역에서 수리산 올라가는 길목에 있는 조용한 사찰이다. 도심에서 가까이 있어서 좋고, 산을 오르내리는 길가에 자리하여 들리기에 부담 없는 절이다. 성불사 하면 성불사 노래 가사가 생각난다. 성불사 노래는 금강산에 있는 성불사를 말한다. 성불사는 전국에 수도 없이 많다. 그중에 하나인 산본 수리산의 성불사에 백팔 배를 드리기 위해서 다녀온 것이다.

성불하십시오.

https://blog.naver.com/hoilsanta/221522108254

2009년 10월 25일

20. 상연사(祥然寺) : 경기 군포 산본 수리산('09,10,29 목 맑음)

산본역에서 아파트 지대를 지나고 수리산의 자연휴양림에 들어서자마자 오른쪽으로 이백여 미터 가면 상연사를 안내하는 표지판이 나온다. 여기서부터 시멘트 포장길을 따라서 산속으로 500미터 정도 올라가면 아담한 절이 반쯤 숨어 보인다. 학생들을 위한 기도 도량임을 현수막으로 알리고 있다.

https://blog.naver.com/hoilsanta/221522905884

2009년 10월 29일

21. 법성사(法性寺) : 경기 수원 장안 상광교('09,11,15 일 흐림)

수원의 광교산 통신대 헬기장 아래 버스 종점의 양지바른 명당에 자리하고 있는 절이다. 황금빛 목재로 아담한 법당을 감싸고 있는 모습이 눈부시다.

https://blog.naver.com/hoilsanta/221522908137

2009년 11월 15일

22. 만기사(萬奇寺) : 경기 평택 진위('09,11,28 토 흐림)

만기사는 행정구역상 경기도 평택시 진위면 동천리 548번지에 위치하고 있다. 도시에서 멀지 않고 교통도 편리한 곳에 아늑하게 감싼 산과 절 앞쪽 멀리에서 동서로 흐르고 있는 진위천, 그리고 주변에 넓게 펼쳐진 들과 그 너머 보이는 산들은 한적한 시골풍경을 자아낸다.

- 이하 옮겨온 글 -

고려시대에 창건되었다고는 하지만 그 흔적만 남아있을 뿐 가람을 최근의 중건불사로 현대적인 면모를 갖추고 있다. 그러나 산기슭 나지막한 비탈면을 이용해 상중하 세 단으로 대지를 조성한 터전 위에 위계에 맞추어 여유롭게 전각과 당우를 배치하고 있는 만기사는 상쾌함을 자아내기에 충분하다. 더욱이 주불전인 대웅전 안에는 고려시대에 조성된 것으로 보이는 철조여래좌상(보물 제567호)이 있어 절의 품격을 높여주고 있다. 이 철불은 고려시대의 전형적인 철불 양식을 지니고 있어 고려시대 불상의 숨결을 느끼면서 신심(信心)을 고양하기에 더할 나위 없이 편안한 마음을 느끼게 한다.

또 이곳은 세조가 지나다 수레를 멈추고 우물을 마셔보고 "이 우물은 감천(甘泉)이니 감로천(甘露泉)이라고 하라" 고 했다는 말이 전해져 오고 있다. 현재의 절은 그 당시의 절과

는 좀 떨어져 새로이 조성되었지만 현재 절 아래에 있는 약수터에는 주변의 많은 사람들이 찾아와 물을 길어가고 있다. 도시에서 가까운 곳 높지 않은 산기슭에 이렇게 아늑한 절이 위치하고 있을 것이라고는 쉽게 생각할 수 없는 일이다. 그 여유로움에 더하여 서울과 경기도 권역에서는 흔하지 않은 고려시대의 철불을 배알하며 예불을 드리는 일은 더할 나위 없는 즐거움일 것이다. 2005년 9월 11일 현재 주지 원경(圓鏡) 스님을 비롯하여 모두 세 분의 스님이 거주하고 있다. 법회로는 초하루법회 외에 매월 음력 24일에 관음재법회를 거행하고 있다.

https://blog.naver.com/hoilsanta/221525013893

2009년 11월 28일

23. 대승원(大乘院) : 경기 수원 팔달산('09,12,15 화흐림)

수원의 팔달산 동쪽 기슭에 자리한 대승원은 무종파로서 불교사상연구회와 사찰을 겸하고 있는 크지 않는 절이다. 더 높이 서 있는 황금빛 불상이 수원 시내를 굽어보고 중생을 계도하고 있는 듯하다

https://blog.naver.com/hoilsanta/221527616392

2009년 12월 15일

24. 국청사(國淸寺) : 경기 광주 남한산성('09,12,16 수맑음)

대한불교조계종제24교구선운사의 말사(末寺)이다. 1624년(인조 2) 벽암(碧巖) 각성(覺性)이 창건하였다. 각성은 당시 팔도도총섭(八道都摠攝) 총절제중군주장(總節制中軍主將)에 임명되었는데, 팔도의 승병을 동원하여남한산성을 쌓으면서 외적의 침입에 대비하여 비밀리에 무기와 화약 · 군량미 등을 비축해 두기 위해국청사와천주사 · 개원사 · 남단사 · 한흥사 · 장경사 · 동림사망월사와 옥정사도 있었다.

구한말에는 의병의 무기창고로 이용되기도 하였으나 1905년 을사조약普運)이 중창하여 오늘에 이른다. 조선 말기까지 있었던 9개 사찰 중 국청사와 망월사 · 개원사 · 한흥사 · 장경사가 복구되었다.

현존하는 건물로는대웅전과요사채가 있으며, 유물로는성삼문(成三問: 1418~1456)의 친필이 적힌 병풍과송시열(宋時烈: 1607~1689)의 친필로 된 책자 3권이 전한다. 인근에 국청사정(國淸寺井)이라는 조그만 우물이 있는데, 전설에 따르면 이 우물에서 금닭이 홰를 치며 울었다고 한다. 또 이 약수로 아버지의 종기를 고쳤다는 효자에 관한 이야기도 전한다.

- 이상 옮겨온 글 -

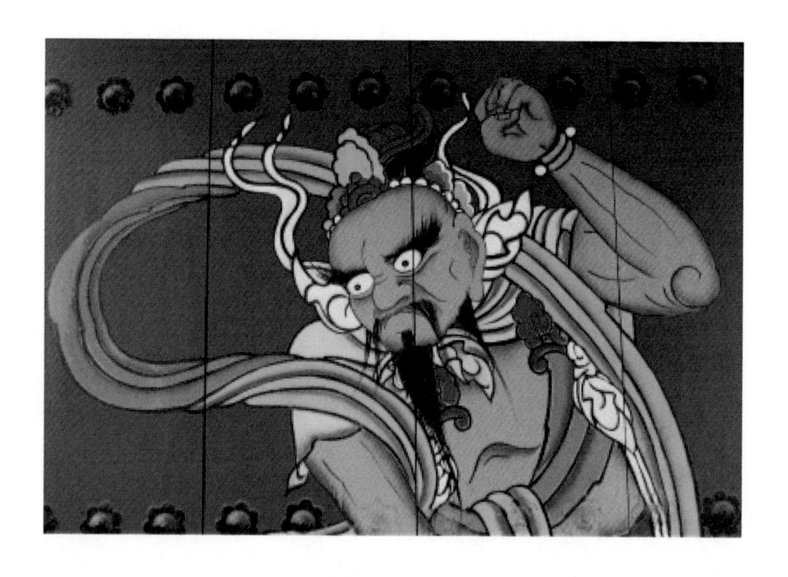

https://blog.naver.com/hoilsanta/221527623940

2009년 12월 15일

25. 팔달사(八達寺) : 경기 수원 팔달산('09,12,28 월 흐림)n)

팔달사는 경기도 수원시 팔달구 팔달로3가 116번지에 위치하고 있는 대한불교조계종 소속의 사찰이다. 수원시의 최대 번화가인 팔달문 주변에 있다. 하루에도 수만 명의 사람이 오고 가는 도심의 한복판에 사찰이 있는 것이다. 도시의 중심은 언제나 어수선하고 시끄러우며 번잡한 모습을 보여준다. 이렇듯 어수선하고 시끄러우며 번잡한 도시의 모습은 팔달사 일주문을 들어서는 순간 모두 사라지게 된다. 언제 이곳이 도시의 중심이었나 느낄 수 없을 정도로 조용하고 아늑한 사찰의 공간이 도시 중심에 마련되어 있는 것이다.

- 이하 옮겨온 글 -

팔달사는 1917년 금강산 유점사의 비구니 윤홍법당 스님이 도심에 불교를 포교하기 위해 이곳에 최초로 사찰을 건립했다고 전한다. 처음에는 조그마한 대지에 위치한 작은 사찰이었으나, 현 주지인 범행스님이 부임한 이후 대웅전을 비롯해 많은 전각들을 건립함으로써 현재와 같은 커다란 사찰의 모습을 갖추게 되었다. 팔달사는 팔달산 자락에 위치하고 있다. 팔달산에는 정조 때 만들어진 화성과 그 주요 건물들이 건립되어 있는 곳이다. 세계문화유산으로 등재될 정도로 그 역사적가치가 높으며 그 조형이 뛰어나다. 수많은 화성의 유적 중에서 팔달사 주변의 화성유적으로는 우선 팔달문을 들 수 있다. 화성의 남문으로 건립된 팔달문은 보물 402호로 지정되어 있으며 수원화성의 상징과 같은 건물이다. 서장대도 주변에 위치하고 있다. 서장대는 팔달산 정상에 위치하고 있다. 팔달산은 그리 높지 않은 산이지만 서장대에서 수원시내 중심을 모두 내려다 볼 수 있으며 그 경관이 매우 아름다운 것으로 유명하다. 이와 같이 팔달사는 전통사찰로서 여러 화성의 문화재들과 어울려 수원시 중심의 풍광을 한껏 고풍스럽게 만들고 있다.

* 역사

팔달사의 연혁에 대해서는 극히 알려진 바가 없다. 따로 창건기와 같은 기록이 전하지 않아 명확한 창건의 역사는 알기 어렵다. 1917년 금강산 유점사의 비구니 윤홍법당 스님이 이곳에 최초로 사찰을 건립했다고 전한다. 이후 1934년에 선학원으로 등록되었고, 1980년대에 현 주지인 범행스님 이후 커다란 불사를 일으켜 현재와 같은 거대한 사찰이 되었다. 1982

년 사찰의 정문인 일주문이 건립되었고, 위쪽 대지에 위치한 대웅전도 이 시기에 건립되었다. 1986년에는 범종이 건립되었는데, 범종각 역시 같은 시기에 건립된 것으로 보인다. 산신각에 모셔져 있는 석가모니후불탱화는 1989년에 조성되었다고 화기에 기록하고 있어 이 당시에 새로운 불사가 이루어졌음을 알 수 있게 해주며, 역시 1989년에 조사당의 영정이 제작되어 이 당시에 조사당의 건립이 있었음을 알게 해준다.

https://blog.naver.com/hoilsanta/221528499404

2009년 12월 29일

26. 약수암 : 경기 수원 광교산 (2010년 1월 21일 목 맑음)

수원 파장동의 보건환경연구원 방향으로 광교산을 올라가면, 능선 조금 아래의 양지바른 계곡에 아담한 암자가 있다. 규모에 비해서 석조물이 많다. 화강암으로 조각한 불상은 좀처럼 보기 드문 일품이다. 온화하면서도 불심을 품어 내는 모습에 넋을 잃을 것 같다. 그 외에도 석탑과 여러 석불이 한곳에 집중적으로 배치되어 있어서 아기자기한 멋을 더하고 있다. 크지 않은 대웅전이지만 다른 어느 절보다도 부처님이 더 고결해 보인다.

https://blog.naver.com/hoilsanta/221529911434

2010년 1월 21일

27. 대원사 : 경기 성남시 분당 성북동(수지)'10,2,11 금 눈

대원사라는 절은 전국에 헤아릴 수 없을 만큼 많다. 그중에서도 지리산의 대원사는 너무나도 유명하다. 지리산 대원사의 그늘에 가려서 지방에 산재한 많은 대원사는 상대적으로 덜 알려지게 마련이지만, 그래도 지리산 대원사 명성의 영향도 있을 수 있고, 그 지역의 지리적 사회적 환경에 따라서 제 몫을 다하는 절들이 많다. 경기도 성남시 분당의 수지에 있는 대원사 역시 수원과 분당사이에 위치한 광교산 남쪽 기슭인 수지의 신흥 주택가를 품고 있으며, 수지나들목 인근에 자리한 관계로 접근이 쉬워서 앞으로 발전이 크게 기대되는 절이다.

https://blog.naver.com/hoilsanta/221530527072

2010년 2월 12일

28. 봉곡선원(舊 봉곡사) : 경기 광주 오포 문형 문형산 ('10,2,15 월 흐림)

봉곡사를 인터넷에 찾아보면 충남 아산과 경상북도에 있는 절이라고 나오는 곳이 많다. 그러나 오늘 제가 찾은 절은 경기도 광주시의 오포읍 문형리 문형산 기슭에 있는 절이다. 수원에서 43호 국도를 타고 광주 방면으로 가다가 문형리로 빠져나오면 가까이에 있다. 지금 한창 중수 중이라서 불상 등을 조립식 패널 집에다 법당이라는 표지를 하여 모셔 두었다. 앞으로 건축이 제대로 되면은 상당히 웅장하고 볼품 있는 사찰이 될 것으로 예상되며, 오포를 위시한 인근의 중심사찰로서 그 역할을 다할 것으로 기대되는 절이다.

https://blog.naver.com/hoilsanta/221530529970

2010년 2월 15일

29. 보구정사 : 경기 용인 동백지구 초당 석성산 ('10,2,16 화 맑음)

용인 동백지구 초당마을 뒷산인 석성산 기슭에 자리한 절이다. 얼마 전까지만 하여도 사찰만 있었는데 지금은 절 가까이까지, 아파트가 들어와서 고요한 절의 분위기를 지켜나가기 어려울 것 같다. 아니나 다를까 인근에 교회를 짓는다 하여 스님과 신도들이 이를 저지하려고 애쓰는 모습이 인터넷에까지 올라와 있다. 불교의 교리를 전파하기 위하여 많은 노력을 기울이고 있는 절로 알려져 있어서 뜻있는 분들이 자주 들리는 절이다.

https://blog.naver.com/hoilsanta/221531243779

2010년 2월 16일

30. 골안사(骨安寺) : 경기 성남 분당 구미 불곡산 ('10,3,10 수 눈)

창건된지 약 250여년 된 조선 후기 사찰이다. 대한불교 조계종 소속이나 현재 재단법인 선학원으로 등록되어 있다. 원래의 사찰명은 불곡사(佛谷寺)였으나 성오 주지스님이 과거 이 지역 지명인 '골안'을 따와 골안사로 바꾸었다. 그 이유는 분당신도시 개발과정에서 고향을 떠난 주민들이 이곳을 다시 찾아왔을 때 옛 지명을 통해 향수를 느낄 수 있게 하기 위해서라고 한다. 기도도량으로 기능하고 있으며, 등산로변에 위치하여 등산객의 내왕이 잦다. 이곳에는 옛날부터 전해오는 3개의 석불(石佛)과 관련한 전설이 전해오고 있으며, 경내에 대웅전, 산신각, 요사채 등의 부속건물이 있다. 대웅전 내에는 본존불인 석가모니불을 중심으로 삼존불이 모셔져 있고, 산신도(山神圖), 칠성탱화(七星幀畵) 등 다수의 불화가 있다. 사찰 입구에는 지장보살상이 세워져 있다.

대웅전은 사찰 경내를 지나는 등산로변 좌측에 南向(남향)하여 정면3칸, 측면2칸의 8작지붕 2익공계 주심포 건물이다. 지붕에는 녹색기와를 얹어 놓았으며 風(풍)침을 달아 놓았다.

내에는 結跏趺坐(결가부좌) 한 석가모니 3존불이 안치되어 있는데, 중앙의 본존불은 원래의 佛(불) 이나 좌우의 협시불은 최근에 새로 안치하여 논 것이다. 대웅전내 중앙의 본존불은 원래 石佛(석불) 이었으나 현재 금도금이 심하게 되어 원형을 잃은 상태이다. 머리에는 나발과 육계가 있고. 이마에는 백호가 있다. 목에 三道(삼도) 와 法衣(법의) 는 통견의이다. 手印(手印) 은 左・右手(좌・우수) 모두 무릎에 댄 채 땅을 향고하고 있다.

- 이상 옮겨온 글 -

[참고문헌]

• 한양대학교 박물관, 『분당신도시 주변 도로 건설지역 및 추가 편입지역 문화유적 지표조사보고서』(한양대학교, 경기도, 1991)

• 한국토지공사 토지박물관, 성남시, 『성남시의 역사와 문화유적』(한국토지공사 토지박물관, 성남시, 2001)

https://blog.naver.com/hoilsanta/221532112335

2010년 3월 11일

31. 극락사(極樂寺) : 경기 광주 오포('10,3,11 목 흐림)

극락사는 경기도 광주군 오포면 양벌리 825번지에 위치하고 있으며 조계종에 소속되어 있는 사찰이다. 백마산을 주산으로 삼고 있는데, 이 백마산은 500여m 정도의 그다지 높지 않은 산이다. 일반인들에게 그리 널리 알려진 산은 아니지만 산을 좋아하는 사람이라면 한번쯤은 들어봤을 그런 산이다. 높지 않다고 해서 험하지 않은 산이라고 생각한다면 오산이다. 높지 않으나 그 능선이 끊이지 않고 계속 이어지는 특징을 보이고 있기 때문이다. 높지 않으며 계속 능선이 이어져 있기 때문에 수많은 등산로가 개발되어 있는 것이 이 산의 특징이기도 하다. 초행자에게 적합한 동네 뒷산 정도의 가벼운 등산로가 만들어져 있으며, 등산을 즐기는 사람에게도 적합하게 험한 등산로가 마련되어 있기도 하다.

이런 산 안에 극락사가 위치하고 있다. 그리 넓은 대지는 아니어도 몇 채의 불전이 도란도란 모여 절을 이룰 정도의 땅이 마련되어 있다. 이곳에 극락보전과 삼성각, 범종각, 그리고 몇 채의 요사가 각기 조화를 이루며 배치되어 있다. 수많은 나무와 더불어 건물의 일부가 보이기도 하고 나무 뒤에 숨어 가려지기도 하면서 각 전각이 모습을 한껏 드러내는 일은 자재하고 있다. 전각들이 나무 뒤에 숨어 찾아주는 이를 수줍게 반겨주고 있는 형상이다.

극락사는 다른 유명 사찰과 같이 오랜 역사를 자랑하거나 수많은 불전을 자랑하는 그런 사찰은 아니다. 역사도 그리 오래되지 않았으며, 불전으로 예기하자면 극락보전과 삼성각밖에 만들어져 있지 않다. 그럼에도 불구하고 넉넉함이 느껴지는 사찰, 정감이 가는 사찰이라고 할 수 있다. 오랜 역사를 갖고 있지 않으나 역사가 느껴지며, 많은 불전을 갖추지 않았

으나 풍족함을 보이고 있는 그런 사찰이다.

-이상 옮겨온 글 -

https://blog.naver.com/hoilsanta/221532115406

2010년 3월 11일

32. 법륜사(法輪寺) : 경기 용인 원삼 문수산('10,3,17 수 눈)

법륜사는 무게 53t, 높이 5m를 넘는 국내 최대 석불을 모시고 있다. 그뿐 아니라 직경 1m 크기의 희귀한 백두산 홍송(紅松)을 기둥과 들보로 사용한 전통 사찰이다. 특히 석불의 경우 전북 익산 인근에서 채취한 원석(100t 규모) 하나를 이용하여 깎아 만들었다. 점안식 당시 유명안사들의 참석 덕분인지 4만여평에 달하는 법륜사에 1만여명의 전국 불교신자들이 모여들었다고 한다. 중요한 것은 바로 마음이다.

법륜사 대웅전은 건설 초기 각각 100t과 50t에 이르는 2개 등 모두 3개의 거대한 화강암을 옮기면서 시작됐다고 한다. 이를 깎아 대웅전의 삼존불을 만든 뒤 비로소 대웅전을 짓기 시작했다고 한다. 대웅전을 지은 뒤에는 엄청난 무게의 석불

을 옮길 수 없기 때문에 택한 방법이었다. 인간문화재인 석공 김강열 씨가 삼존불을 직접 깎았다.

대웅전의 경우 직경 1m, 높이 16~20m 크기의 백두산 홍송

100여 개를 사용해 기둥을 세우고 들보를 올렸다. 남방불교 양식으로 위에서 내려다보면 '아(亞)' 자 형태로 내부 넓이만 130여평에 달한다.

- 이상 옮겨온 글 -

경기도 문화재자료 제145호로 지정되어 있는 법륜사 삼층석탑은 서울시 구로구 구로동 이덕문 씨 집에 있던 것을 보시한 것으로 탑의 연혁이나 유래는 불확실하고, 통일신라 시대 석탑의 양식을 전승하여 고려 시대에 만들어진 것으로 추정된다고 한다.

귀향 기원 비는 일본인 후쿠미씨가 2009년 10월 26일에 세운 것으로, 태평양 전쟁 때 일제의 징용에 의하여 한국의 많은 분들이 만리타국에서 억울하게 죽은 영혼을 달래기 위하여 세운 비다. 비문은 한글과 일본어로 다음과 같이 새겨져 있다.

그분들의 영혼이나마 그리워하던 고향 산하로 돌아와 편안하게 잠드시기를 충심으로 기원합니다.

https://blog.naver.com/hoilsanta/221533010051

2010년 3월 18일

33. 신흥사 : 경기 화성 서신 구봉산('10,3,21 일 맑음)

아래의 글은 신흥사 절간앞에 세워둔 신흥사 유래에 관한 글입니다.

서해바다가 내려다보이는 사적 217호로 지정된 구봉산 당성을 배경으로 자리잡고 있는 본 신흥사는 1934년 덕인 스님이 한영석 거사의 시주로 창건하였습니다.. 당성은 고구려 영유왕때 덕과 예술과 문학을 겸비한 선비를 보내 달라는 고구려의 요구에 의하여 당나라에서 팔학사를 보내어 그중 홍학사가 이곳에 머물면서 중국 문물을 받아들인 곳이며, 군사 요충지로도 매우 중요한 역할을 한 곳입니다.

원래 이 당성 안에 절이 있었는데 오랜 세월이 흐르면서 절

은 없어지고 그 옛날에 절이 있었는지도 모르고 무심히 세월만 흘러가던 어느날 구봉산 북쪽 아랫마을에 살고 있던 한 영석거사의 꿈에 위풍이 당당한 도승이 나타나 현몽하기를 "당성 안에 옛고려 시대의 석불이 계시니 잘 모셔다 새로이 절을 일으키라." 하고는 구름을 타고 서쪽 하늘로 날아가 버렸습니다.

현몽을 받은 거사는 곧 칡넝쿨이 무성한 당성에 이르러 숲을 헤치며 새떼들이 인도해 준 옛절터에서 석불을 찾으니 키가 2m 정도이고 서 계시는 불상이었습니다. 오랜 세월 비바람에 깎이고 시달렸는데도 그 상호에는 자비로운 미소가 감돌고 있었으니 현재 큰 법당에 모셔진 관세음 보살님이십니다. 가운데 주불로 모셔진 아미타 부처님은 불도섬에서 모셔왔고 오른쪽 대세지 보살님은 10년 기도 중 새로 모셨습니다.부처님 모셔올 때부터 신비한 일들이 많은지라 누구든지 지극한 정성으로 기도 드리면 다 이루어 주셨습니다.

이러한 인연으로 1934년도에 한 영석거사의 산과 전답 시주로 절을 세우고 신흥사라 하였으며 그후 이윤태 청신녀가 구법당 관음전을 중수하였고, 1973년도에 주지로 부임한 오성일 스님이 불교 황무지인 이곳에 불법홍포의 원력을 세우고 어린이, 청소년 교화에 몸 바쳐 30년을 노력한 결과 어린이, 청소년 포교의 모범 사찰로 알려져서 수많은 불자들이 수련하러 찾아 왔습니다.

그러나 수용할 장소가 없어서 1980년도에 초가집 요사체를 헐고 설법당(현요사체)을 건축하여 열심히 법회와 수련을 하고, 또 1986년도에 현 청소년 수련원을 건축하고 경제적으로 큰어려움을 겪었습니다. 그러면서도 계속 쉬지 않고 수련을 하면서 힘드는 일이 많아, 이 일은 도저히 사람의 힘으로는 되지 않고 크나크신 부처님의 가피가 계셔야 되는데 그러려면 기도하는 일 밖에 없다는 신념으로 현 주지 성일스님이

1988년 음력 4월 24일 두문불출 10년 관음 기도를 시작하여 하루 4분 정근으로 많은 시간을 일심으로 기도하여 부처님의 크신 가피가 내려졌습니다.

처음 천일 동안에는 수련원 건축비가 정리되고 큰법당이 세워졌고 (1990년 10월)이천일 기도 중에는 640평 수련원 교육관이 우뚝 서게 되었습니다.(1993. 4월)삼천일 기도 중에는 구법당 관음전을 헐고 다시 지어 어린이 법당으로 현판을 부쳤고(1994년 10월)1995년에는 부처님 진시사리탑을 조성하였습니다. 1996년도에는 도량 양쪽 옆산 일만여평을 매입하였고, 1997년도에는 종각을 신축하고 1천관의 범종을 주조하여 사물을 갖추고 1998년도에 10년기도 회향과 아울러 전폐 불사를 회향 하였습니다. 그 동안 종단에서 스님들 연수교육과 전국의 많은 불자들이 수련장소로 활용됨을 보람으로 기쁨으로 여기며 혼신을 다해 노력하고 정진하는 도량입니다.

https://blog.naver.com/hoilsanta/221534216296

2010년 3월 21일

34. 봉림사(鳳林寺) : 경기 화성 북양동 비봉산('10,3,24 수 맑음)

대한불교조계종 제2교구 본사인 용주사의 말사이다. 신라 진덕왕대에 창건되었으며, 절 이름은 창건 당시 궁궐에서 기르던 새들이 절 근처의 숲에 앉은 데서 붙여졌다. 그뒤의 역사는 전하지 않으며, 현존 당우로는 대웅전 · 봉향각 · 망향루(望鄕樓) · 범종각 · 요사채 등이 있다. 고려 말기에 제작된 불상(보물 제980호)이 대웅전에 봉안되어 있다.

이 불상은 1978년 개금(改金) 때 발견된 복장유물(腹藏遺物)인 조성(造成) 개금기(改金記)에 의하여 고려(高麗) 공민왕(恭愍王) 11년(1362)을 하한으로 아미타불상(阿彌陀佛像)이 조성되었음이 밝혀졌다. 얼굴은 단아(端雅)하고 엄숙하며 체

구 역시 단정하면서 건장한 면을 보여주고 있다. U형(形)으로 처리된 가슴에 젖가슴을 Ω형으로 표현하고, 통견(通肩)의 불의(佛衣)에는 띠매듭이 사라지고 3줄의 옷주름을 묘사하였다. 이러한 것들이 고려(高麗) 후기(後期)의 특징을 잘 보여주고 있다.

- 이상 옮겨온 글 -

https://blog.naver.com/hoilsanta/221534227601

2010년 3월 24일

35. 칠보사(七寶寺) : 경기 안산 사사 칠보산('10,3,31 수 비)

칠보사는 수원의 서쪽경계를 이루고 있는 칠보산에 있으며, 칠보산은 해발 238.8m의 산으로 수원시와 안산시 그리고 화성군 경계에 있다. 구체적으로 안산시 사사동과 화성군 매송면 천천리 · 원평리 · 어천리 그리고 수원시 금곡동 · 호매실동 · 당수동 등이 산 주변에 자리하고 있다.

칠보사는 수원의 서쪽 경계를 이루고 있는 칠보산(여기를 클릭해 보세요)에 있으며, 칠보산은 해발 238.8m의 산으로 수원시와 안산시 그리고 화성시 경계에 있다. 구체적으로 안산시 사사동과 화성시 매송면 천천리 · 원평리 · 어천리 그리고 수원시 권선구 금곡동 · 호매실동 · 당수동 등이 산 주변에 자리하고 있다.

칠보산에는 모두 6개의 절이 있다고 하는데 수원시 쪽에 개심사 · 용화사 · 무학사 · 여래사 등이 있고, 안산 쪽으로 칠보사 그리고 화성 쪽으로 일광사가 있다. 절은 칠보산에 있다는 일곱 가지 보물 중 한 가지이다. 칠보산은 진악산' , '치악산' 등으로도 불렸다고 하는데 이에 대한 구체적인 지명 유래는 알 수가 없다.

- 이하 옮겨온 글 -

칠보산에 있는 칠보사는 대한불교법화종李教高)이 절터에서 석불 2위를 발굴한 후 절을 세우고 약사암(藥師庵)이라고 하였다. 이때 용신전(龍神殿)이라는 건물에 이 석불들을 봉안하였으며, 훗날 절 이름을 현재의 칠보사로 바꾸었다.

https://blog.naver.com/hoilsanta/221534736452

2010년 3월 31일

36. 일광사(日光寺) : 경기 화성 천천리 칠보산('10,4,4 토 맑음)

수원에서 서쪽으로 나가면 칠보산 밑 천천리에 있는 절이다. 산기슭 남향에 뽐내지 않고 있는 조용한 사찰이다. 수원시에서 가까이 있는 절이므로 주말이 아니더라도 시간 있으면 바람도 쏘일 겸 기도도 드리면 일석이조가 될 것 같은 부담이 없는 도량이다.

https://blog.naver.com/hoilsanta/221534746730

2010년 4월 5일

37. 개심사 : 경기 수원 칠보산('10,4,8 목 맑음)

수원의 서쪽 칠보산 아래 LG 아파트 타운의 뒤 산속에 조그마한 암자 같은 절이 있다. 절 언덕에 진달래가 소담스럽게 피어있고, 인근의 아파트 주민들이 편안하게 들릴 수 있는 친근감이 배어 있어 부담스럽지 않은 사찰이다.

https://blog.naver.com/hoilsanta/221534749389

2010년 4월 8일

38. 칠보사 : 경기 화성 매송('10,4,27 화 비)

수원에서 서쪽으로 화성시와 경계를 이루고 있는 칠보산 남쪽에 매송이라는 동네가 있고, 이 마을의 북쪽 끝에 칠보사가 있다. 칠보산의 사사동에도 칠보사라는 법화종 사찰이 있다, 여기 매송에는 조계종의 칠보사가 있는 것이다. 민가와 붙어 있어서 어느 때나 가볍게 들릴 수 있는 이웃 같은 절이다. 법당과 조그마한 부속건물이 가정집 같은 분위기를 자아내고 있다.

https://blog.naver.com/hoilsanta/221535362867
2010년 4월 28일

39. 심복사(深福寺) : 경기 평택 현덕('10,5,15 토 맑음)

심복사(深福寺)는 대한불교조계종 제2교구 본사 용주사의 말사이다. 심복사의 정확한 창건연대는 알 수 없으나 대적광전에 봉안된 비로자나불상이 9~10세기 양식을 보이므로 이미 통일신라시대에 창건되었음을 알 수 있다. 이 불상은 파주의 어부들이 바다에서 건져 봉안하였다는 전설이 전한다. 16세기에 해당하는 명문기와가 있고, 18 · 19세기의 다른 기록도 있으므로 조선시대에 들어서도 법등을 이어왔음을 알 수 있다.

- 이상 옮겨온 글 -

https://blog.naver.com/hoilsanta/221535362867

2010년 4월 28일

40. 용광사(龍光寺) : 경기 수원 파장('09,5, 26 맑음)

대한불교 천태종 용광사는 1998년 장안구 파장동에 있는 지금의 자리에 불교회관 건립을 시작으로 2005년 9월 28일 삼존불과 상월원각 대조사 존상을 봉안했으며, 대불보전 낙성식이 거행됐다. 특히 대불보전은 철근 콘크리트와 전통 한식이 혼합돼 전통과 현대적 감각이 어우러진 건축 양식을 보여준다. 광교산 서쪽 장안구 파장동에 위치한 용광사는 화려한 외관의 사찰과 광교산의 경관 등을 조망할 수 있는 곳이다.

- 이상 옮겨온 글 -

https://blog.naver.com/hoilsanta/221536058881

2010년 6월 23일

41. 대원정사(大願精寺) : 경기 수원 이목('10,7,8 목 맑음)

수원의 지지대고개 서쪽에서 대원고등학교길을 찾아가면 옛 시골 마을이 별로 변하지도 않고 조용히 자리하고 있다. 이 동네의 이화산 아래 남쪽 기슭에 주택가를 바라보면서 이층 절이 있는데 "梨花山大願精寺"라고 간판이 붙어 있다. 동네 가까이 있으니 부담 없는 기도의 도량으로 활용하기에 좋은 사찰로 여겨진다.

사진이 사라지고 없읍니다.
대단히 죄송합니다.

https://blog.naver.com/hoilsanta/221536989343
2010년 7월 8일

42. 법흥사(法興寺) : 경기 수원 인계('10,7,11 일 흐림)

법흥사라는 이름은 너무나도 유명하다. 그래서 전국각지에 이름난 법흥사가 많다. 그러나 수원의 인계동 주택가 빌딩 숲 사이에 있는 법흥사는 인근의 주민을 제외하고는 아는 이가 별로 없을 것 같다. 하지만 외관과는 다르게 절 마당에 들어서는 순간에 기도의 도량임을 한순간에 알 수 있다. 마당 가운데 자리하고 있는 석탑과 대웅전이 절묘하게 잘 어울리고 덜 다듬어진 듯한 사자상은 어디에서도 볼 수 없는 순수함을 보여주고 있다.

https://blog.naver.com/hoilsanta/221536993429

2010년 7월 12일

43. 수도사(修道寺) : 경기 수원 이목('10,7,14 수 맑음)

수원의 지지대 서쪽 이목동에 있는 절이다. 주택지에 이어져 있고 아담한 대웅전과 요사채 같은 간물이 하나 있는 조그마한 절이지만 간결하고 고결한 느낌이 드는 사찰로 기도를 드리기에 적당할 것으로 생각되었다.

https://blog.naver.com/hoilsanta/221536996601

2010년 7월 14일

44. 용화사 : 경기 의왕 내손('10,7,21 토 흐림)

용화사는 1943년 금강산에서 오신 화응큰스님이 창건한 사찰로 안양 소재 본백화점 자리에 위치해 있다가 1983년 4월 안양시 동안구 호계동 337-6번지로 이전하였다.

현 용화사 덕문스님이 2000년 1월 용화사로 오시어 관음전 불사를 비롯하여 도량정비와 각종 법회 및 지역 포교활동에 정진하였다.

전 용화사는 대웅전을 중심으로 관음전, 삼성각, 일주문, 요사채로 이루어져 있었고 석조 미륵불상이 조성되어 있었고, 고려시대 양식의 석탑과 석가여래상, 아미타여래상, 약사여래상, 지장보살, 관세음보살상 등이 있었다.

2002년 7월경 안양시 동안구 호계동 337-6번지 자리에 아파트가 조성되자, 의왕시 내손동 827번지 종교용지를 매입하여 2002년 9월 14일 건축 허가를 받아 지하 1층, 지상 4층 공사를 시작하였다.

2004년 12월 공사가 완성되어 준공검사를 마치고 사용승인을 받아 입주하여 12월 13일 점안 법회를 시작으로 정상적인 법회를 시작하였다.

당우는 지하 1층 공양간, 화장실, 목욕탕, 1층에는 주차장 및 종무소, 2층 대웅전, 미륵전, 3층 관음전, 요사채, 4층 산신각, 전통찻집으로 조성되어 현재에 이르고 있다.

- 이상 용화사 사이트의 용화사 소개글 -

https://blog.naver.com/hoilsanta/221537004126

2010년 7월 21일

45. 청원사(淸源寺) : 경기 안성 원곡 성은 천덕산 ('10,7,28 수 흐림)

청원사는 경기도 안성시 원곡면 성은리 397번지에 소재한 사찰이다. 대한 불교조계종 제2교구 본사 용주사의 말사로387번 국도를 따라 양성에서 원곡방향으로 진행해서 성은고개를 넘어 성은고개 정상부에서 휴게소를 돌아 우회전하면 천덕산 아래 성은리에 이르게 되는데, 여기서 성은낚시터 방향의 이정표를 따라 산길을 1㎞ 정도 오르면 청원사에 이르게 된다.

청원사가 자리한 천덕산은 병자호란 때 의병 천여명이 이곳에 은신하면서 목숨을 구했다고 하여 천덕산이라 불리게 되었으며,청원사는 산골짜기 언덕 안으로 늘 푸른 안개가 끼는데 연유한 것이라 전설이 전하고 있다.

아울러 옛날 청원사에서 불도를 닦던 스님이 명절이 되자 팥죽을 쑤어 부처님께 공양하려고 하였는데,음식을 해 먹은 지가 너무 오래되어 아궁이에 불을 피울 수가 없었다고 한다. 그래서 산을 내려가 마을에서 불씨를 얻어 절로 돌아와 대웅전에 들어갔더니 벌써 부처님의 입에 팥죽이 묻어있었다는 일화가 구전되고 있다.

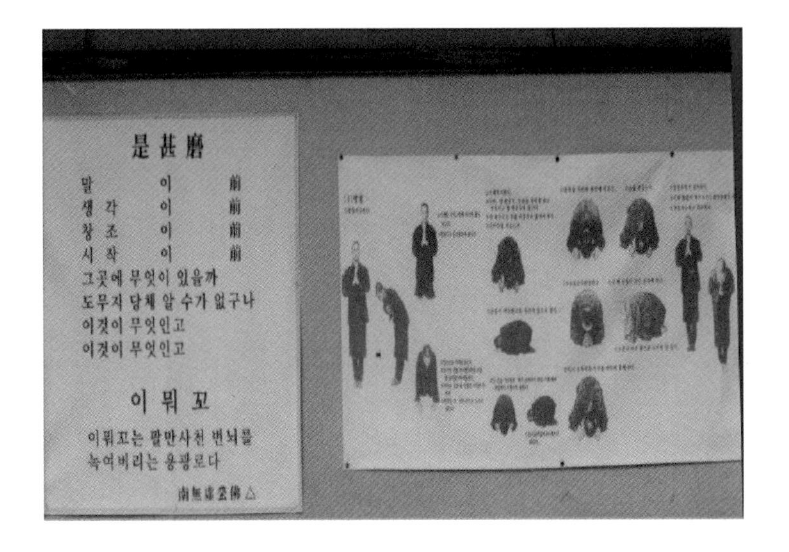

청원사는 산으로 깊숙이 들어간 곳에 자리하고 있어 산새와 풀벌레들 소리 이외엔 아무 소음도 없어, 도시의 소음에 지친 사람들에겐 고요함만으로도 휴식의 공간으로선 충분한 곳이며, 꼭 불교신자가 아니더라도 한번쯤 찾아와 일상을 정리할 수 있는 장소가 될 것이다.

특히 청원사는 대웅전(경기도 유형문화재 제 174호)과 대웅전 앞에 있는 전형적인 고려탑의 기법을 보여주고 있는 청원사 7층석탑(경기도 유형문화재 제116호)으로 유명하다. 또한 불상이 지불로 되어 있는 것이 특징이다.

충북대학교 연륜연구센터팀(센터장 박원규 교수)에 의해 밝혀진 이번 사실은 나이테의 고유패턴으로 벌채시기를 알 수 있는 목재연륜 연구기법을 통해 대웅전 목부재를 분석 또한 사용된 나무는 주로 소나무다.

안성시에서는 이제까지 석남사 영산전(보물 제823호, 1562~1565년)이 안성시 최고(最古) 건축물로 알려졌으나 연구를 통해 새로운 사실이 확인된 것이다. 이를 통해 안성시 관계자는 "연륜연대 연구 자료와 실측 조사 보고서를 토대로 청원사 대웅전을 국가지정 보물로 상향지정 신청할 계획이라며, "청원사는 보물 제740호 감지은니보살선계경(동국대 박물관 소장) 한편 임진왜란 전에 건축되어 지금까지 보존되고

있는 청원사 대웅전은 심원사 보광전, 봉정사 대웅전, 개심사 대웅전 등과 같이 대보의 보머리가 노출되지 않고 공포의 최상단 살미를 마치 대보의 보머리처럼 보이도록 한 건축양식을 가지고 있어 한국 건축사에 중요한 자료로 평가 되고 있다.

- 이상 옮겨온 글 -

https://blog.naver.com/hoilsanta/221537877354

2010년 7월 29일

46. 보적사(寶積寺) : 경기 오산 지곶 (새마대 독산성'10,7,29 목 맑음)

개 요

용주사 본말사지에 의하면 보적사는 창건당시 이세계 중생의 질병치료, 수명연장, 재화 소멸, 의복, 음식 등을 만족케 하고 부처의 행을 닦아 무상보리의 진리를 터득케 한다는 약사여래를 모신 약사전을 정전으로, 독산성의 역사와 함께 오랜 세월을 같이 했으나 1990년 도광정운(道光正云)스님의 불사 때 석가여래불을 모신 정면 3칸, 측면 2칸의 중창정전이 건립되면서 대웅전으로 명칭이 변경돼 오늘에 이르고 있다.

보적사는 백제의 고성인 독산성 정상하단 동문 앞에 위치해 있는데, 삼국시대에 독산성을 축성한 후 성내인 현재의 터에

전승을 기원하기 위해 창건된 이래 여러 차례의 전란으로 인한 중건을 거듭한 것으로 알려져 있다.

보적사란 이름이 지어진 것은 백제시대 보릿고개로 끼니조차 잇기 어려운 노부부가 겨우 쌀두되만이 남아 있어 굶어죽을 지경에 이르러 구차하게 사느니 차라리 부처님께 바치겠다고 결심한 후, 공양 후 집에 돌아와 보니 곡간에 쌀이 가득차 있는 기적이 발생하였다고 하며 열심히 공양하여 보화가 쌓인 신통력 있는 사찰이라 하여 보적사라 명명되었다고 한다. 1988년 7월 27일 전통사찰 제34호 지정되어 있다.

- 이상 옮겨온 글 -

https://blog.naver.com/hoilsanta/221537882426

2010년 7월 30일

47. 수리사(修理寺) : 경기 군포 수리산('10,8,9 일 흐림)

신라 진흥황 때 창건된 사찰로 수리산 남서 쪽 중턱에 위치하고 있다. 그 뒤 어느 왕손이 이 절에서 기도하던 중 부처님을 친견했다고 하여 산 이름을 불견산이라고 했으나, 1940년대에 산 이름을 따서 수리사로 바꾸었다. 대웅전 외에 36동의 건물과 산 내에 132개의 암자가 있는 대찰이었으나, 임진왜란 때 전소되었고 곽재우 장군이 말년에 입산하여 중창하고 수도한 곳이다. 그 후 6.25전쟁으로 다시 전소되었으며, 현재 산 내에는 주춧돌, 불족석판, 석수각, 기와편 등이 대량 발견되고 있으며 1955년 다시 재건되었다. 수리사 입구 외길은 산림이 무성하고 계곡을 끼고 있어 경관이 뛰어나고 사찰을 두르고 있는 수리산은 병풍을 치고 있는 듯한 느낌을 주고 있다

- 이상 옮겨온 글 -

사찰입구에서 출입을 엄격히 제한하고 있었다. 신도증이 없으면 아무나 출입을 시키지 않는다고 한다. 절에 들어 가보면 왜 제한을 하는지 느낌이 온다. 병풍같이 둘러싸고 있는 산속에 품격높은 가람이 알맞게 자리하고 스님의 불경소리가 낭랑하게 울려 퍼지는데 감이 어느 누가 분위기를 잡칠 수 있겠는가. 지금까지 여러 절에 가보았지만 스님께서 직접 어디서 왔느냐고 물어 보시는 것은 처음 이며, 공양을 들고 가라는 말씀에 감복하였다. 정제소에서 보살 님네 들도 한식구 같이 맛있는 음식과 과일을 가져와 나누어 먹는 모습이 너무나 복덕스러워 보였다. 한마디로 그 절에 그신도 들이다.

https://blog.naver.com/hoilsanta/221537896012

2010년 8월 10일

48. 신진사 : 경기 군포 수리산('10,8,12 목 흐림)

경기도 군포시 산본의 수리산 자락에 있는 절이다. 산본의 도서관 옆으로 산에 올라가는 포장된 길이 숲속에 비탈로 놓여져 있다. 등산객이나 산책하는 시민들이 많이 애용하는 길이다. 포장이 끝나는 즈음에 오른쪽으로 절이 나타난다. 얼핏 보기에는 하나의 절 같이 보이지만 오른쪽은 성불사이고 왼쪽이 신진사이다. 그리 크지 않은 암자 같은 절이다. 수리산에 등산할 일이 있으면 지나가는 길에 불공을 드리고 가면은 부처님이 반겨 줄 것입니다.

https://blog.naver.com/hoilsanta/221537896012

2010년 8월 10일

49. 청룡사(靑龍寺) : 경기 안성 서운 청용 서운산

청룡사는 고려 원종 6년[1265] 명본국사가 대장암으로 창건. 그 후 공민왕 13년[1364] 나옹선사가 지정연간[1341~1367]에 이 산을 지나면서 지혜의 해가 거듭 빛나고 자비의 구름이 광채를 냄에 이 곳에 신비한 징조가 있겠다고 생각하시고 하루를 묵게 되었는데, 과연 꽃비가 내리고 상서러운 구름이 일면서 용이 오르내리는 것을 보고 이 곳에 주석을 하시면서 절을 크게 중창하여 산 이름을 서운산이라 하고 절 이름을 청룡사라 명명하였다.

절 안에는 대웅전, 관음전, 관음청향각, 명부전 등이 있고, 대웅전 앞에는 명본국사가 세웠다는 삼층석탑이 있다. 대웅전은 다포계의 팔작집으로 고려말 공민왕 때에 지어져 조선후기에 다시 지은 것으로, 조선 후기의 기법과 양식을 잘 보존하여 보물 제824호로 지정되었다. 청룡사에서 유명한 것은 자연미를 살린 기둥이다. 구불구불한 아름드리나무를 껍질만 벗긴채 본래의 나뭇결 그대로 살려 기둥으로 세웠다. 사람이 만드는 건축물에 최대한 자연미를 살린 우리나라 건축의 한 특징을 보여 준다.
청룡사는 공양왕의 초상화를 봉안하다가 세종 19년[1437] 세종의 명에 의하여 고양으로 옮겼고, 후에는 인평대군의 초상화를 모시고 왕실의 태평을 비는 원찰로 삼았었다. 이 곳은 조선 후기에 등장한 남사당패의 근거지이기도 하다. 이들은 인근 불당골에서 겨울을 지낸 뒤 봄부터 가을까지 청룡사에서 준 신표를 들고 기예를 뽐내며 안성장터를 비롯해 경기, 충청도 등 전국을 돌아다니면서 연희를 팔며 생활했다.

https://blog.naver.com/hoilsanta/221538825675

2010년 8월 19일

50. 용덕사(龍德寺) : 경기 용인 이동 묵리('10,8,26 목 흐림)

용덕사의 용굴에 얽힌 傳說

경기도 용인시외버스 터미널에서 약 20분 거리에 있는 마을 이동면 묵리.

이 마을을 수호라도 하는 듯이 내려다보고 있는 용덕사에는 참으로 애틋한 불심으로 승화시킨 아름다운 전설이 전해져 내려오고 있다.

용덕사의 용굴에 얽힌 전설은 지금부터 천이삼백여년전 신라 문성왕때 염거선사라는 승려가 이 절을 창건한 이래 지금까지 구전되어 오고 있으며, 이를 설명이라도 하듯 법당에는 한 마리의 우렁찬 청룡이 적옥을 입에 물고 커다란 몸부림을 치며 하늘로 승천하는 벽화가 남겨져있다. 또한 법당 왼쪽으

로 돌아가면 전에 이곳에서 용이 기거했다는 굴이 있어 이곳 용덕사에 한가닥 경이로움을 남겨두고 있다.

이 사찰의 이름이 용덕사 굴암절로 불리어 온 것은 신라시대부터이다. 당시 이곳 성륜산엔 한 비구가 참선을 하기 위해 산중턱에다 조그마한 선방을 짓고 어린 행자승과 함께 살고 있었다. 수행에 접어든지 만 5년째가 되는 어느 날 저녁예불을 드리던 노스님의 눈매에 짙은 구름이 깔리면서 알 수 없는 한마디를 던지셨다.

"안됐도다, 조금만 더 침착했더라면..." 그리고 그 법당에서 조용히 일어선 뒤 나이 어린 행자승을 불렀다. "애야, 곧 어느 처녀가 이곳을 지나갈 것이니라. 너는 그 처녀에게 지금 산에 올라가면 불길한일이 생길 터이니 이곳에서 몇 일 쉬어 가라고 전해라."

아! 그렇다면 그 노스님은 앞으로 일어날일을 예측이라도 하고 있었단 말인가? 조금 후 과연 놀랍게도 한 아리따운 처녀가 그 선방 앞을 막 지나가고 있었다. 이를 본 행자승은 그 노스님의 말대로 처녀에게 잠시 몇 일 지체함을 권했지만 끝내 처녀는 세차게 고개를 흔들고 말았다.

"말씀은 고맙지만 한가롭게 이곳에서 지낼 수가 없답니다. 아버님께서 시각을 다투는 병환에 시달리고 계신데 제가 어찌 이곳에서 편히 쉬어 갈 수가 있겠습니까? 그럼 이만... 참!

스님께는 죄송하다고 전해주십시오."

"아니... 저... 잠깐만... " 행자승은 그 처녀를 붙잡지 못했고, 멀리서 이 광경을 지켜보고 있던 노스님은 관세음보살을 연거푸 되풀이하고선,

"어쩔 수 없구나 운명에 맡길 수밖에... "라고 하였다.
- 이상 용덕사의 홈피에서 옮겨온 글 -

https://blog.naver.com/hoilsanta/221538838073
2010년 8월 27일

51. 무우사(無憂寺) : 경기 화성 정남 보통

무우사는 정조가 잠들어 있는 융건릉에서 보통리 저수지를 찾아가면 제방 아랫길을 건너서, 왼편으로 산에 올라가는 길이 있다. 민가를 끼고 오솔길로 되어 있다. 곤파스라는 태풍이 나뭇잎들을 훑어서 길을 덮어 두었고, 바람과 싸우다 쓰러진 나무들이 길에 누워서 꺼져가는 생명을 조용히 받아 드리고 있다. 인생만 무상한 것이 아니다. 풀 한 포기 나무 한 그루도 모두가 다 같은 생명이다. 다만 말 못 하고 하소연할 데가 없을 뿐이다. 한적한 산길을 따라가면 평택 가는 고속국도 위로 다리가 놓여있고 다리를 건너면 숲속에 기와지붕이 어렴풋이 보이기 시작한다. 스님 말씀으로는 건립한 지가 20여 년 되었다고 하는데 보기보다는 더 고찰같이 보인다. 태풍 뒤설거지 하느라 스님도 여념이 없다.

https://blog.naver.com/hoilsanta/221538847930

2010년 9월 3일

52. 삼성사(三聖寺) : 경기 안양 동안 비산 비봉산
('10,11,10 수 맑음)

국도 1호선 서울 방향으로 안양 평촌을 지나자마자 비산동 사거리의 대림대학 입구에서 오른쪽으로 꺾어 들면, 안양 항로 표지가 있는 산꼭대기까지 포장된 길이 있다. 이 길을 따라가면 주택지대가 끝날 즈음하여 임곡중학교가 산비탈에 자리하고, 그 아래에 늦가을 햇살을 받아 온기를 품고 황금빛이 서린 삼성사라는 절이 있다. 길가에는 천왕문이라는 일주문이 서 있다. 학생들의 등하교 시간이나 운동장 조례 등 행사가 있을 때는 절 분위기가 다소 흐려지지 않을까 하는 생각도 들기는 하지만, 학교 학생들이 공부하는 것이나 신도들이 불도를 닦는 것이나 비슷하다면 기도하는 데에는 전연 관계가 없을 듯하고 오히려 주택지와 인접하여서 신도들이 부담 없이 쉽게 접할 수 있는 좋은 조건을 가진 사찰로 여겨진다.

https://blog.naver.com/hoilsanta/221540420843

2010년 11월 10일

53. 만장사(萬長寺) : 경기 안양 동안 비산 비봉산 ('10,11,19 금 맑음)

안양 비산동의 비봉산에 있는 절이다. 비봉산으로 많은 자전거 꾼들이 오르고, 인근의 주민들이 산책 겸 운동을 즐기는 포장된 길가에 있다. 절 앞에 하차하니 바로 대웅전이 맞이한다. 초가을 오후의 햇살이 대웅전을 비추고 있다. 대웅전의 밝은 단청이 부처님의 해맑은 지혜와 같이 온 누리에 서기(瑞氣)롭다.

https://blog.naver.com/hoilsanta/221541787061

2010년 11월 28일

54. 보광사(普光寺): 경기 과천 갈현('10,12,8 수 눈)

대한불교조계종 제2교구 본사인 용주사 의 말사이다. 발굴된 유물로 보아 신라 때 창건되었을 것으로 추측되나 연혁이 전하지 않아 자세한 절의 역사는 알 수 없다. 오랫동안 폐사로 남아 있던 것을 1946년에 현재의 자리로 옮겨 중창하고 절 이름도 다시 지었다.

건물로는 대웅전과 영산각 · 종무소 · 요사채가 있고, 유물로는 보광사삼층석탑과 목조여래좌상이 전한다. 문화재자료 제39호로 지정된 삼층석탑은 신라 말기의 석탑 양식을 따른 것으로 문원동 옛 절터에서 옮겨온 것이다. 목조여래좌상은 전체적으로 둥글고 얼굴이 약간 갸름한 불상이다. 양어깨로부터 흘러내린 법의를 배 부부에서 U자 형채로 마감하였으며, 형태

로 보아 조선 중기에 제작된 것으로 추정된다.

[출처] 이상 보광사 네이버 백과사전

https://blog.naver.com/hoilsanta/221541791587

2010년 12월 9일

55. 보덕사(普德寺) ; 경기 안양 동안 비산 비봉산 ('10,12,9 목 흐림)

안양 동안구 비산동 대림대학 입구에서 비봉산으로 올라가면 절들이 오른쪽에 줄지어 서 있다. 임곡중학교 앞에 삼성사, 조금 더 산길을 올라가면 만장사가 있고 그다음 산 중턱쯤 대나무 숲속에 보덕사가 있다. 양지바른 탓인지 대나무가 제법 무성하다. 절은 비탈진 지형에 알맞게 앉혀 놓아서 아주 아담하고, 대웅전에서 보이는 전망은 일품이다.

비봉산에 눈이라도 내리는 날이면 가히 환상적이다. 좋아하는 짝꿍들과 눈 내리는 호젓한 산길을 가다가, 함께 들려서 불공을 드린다면 얼마나 좋을까….

https://blog.naver.com/hoilsanta/221543606753

2010년 12월 10일

56. 구룡사(九龍寺) : 경기 오산 서동('10,12,15 수 오후 개임)

오산에서 발안을 가다 보면 누읍동이 나온다. 누읍동에서 오른쪽으로 겪어 들면 아파트 입구를 지나서 시멘트로 포장한 농로로 고갯길이 있다. 이 고개 왼쪽에 아담한 절이 담 넘어 자리하고, 오후의 따사로운 햇살이 가만히 비추고 있었다.

https://blog.naver.com/hoilsanta/221543617145
2010년 12월 15일

57. 대덕사 : 경인 용인 처인 운학('10,12, 25 토 맑음)

용인에서 와우정사를 거쳐서 원삼 백암으로 가는 지방도 57호선을 타고 동남쪽으로 가다 보면 5~6㎞에 운학이라는 동네로 들어가는 길이 왼쪽으로 나 있다. 산밑으로 이어진 길 끝에 운학 마을이 나오고 계곡 입구에 대덕사가 있다. 가정집처럼 아담하게 지은 법당과 부속 건물이 어울리고, 소나무 아래 장독대가 너무나 아름답게 보이는 절이다.

https://blog.naver.com/hoilsanta/221544406337

2010년 12월 25일

제5부 충청남북도 절 108 순례

충청도는 충주와 청주의 앞글자를 따서 충청도라 하였다고 한다.
충주와 청주는 모두 충청북도에 있다. 예로부터 충청북도는 청풍명월의 도라고 하는 사람도 있다. 충청북도는 바다가 없는 유일한 도로서 호수를 끼고 빼어난 경관을 자랑한다. 어딘지 모르게 좀 고상한 품위가 있는 사람들이 사는 고장을 의미하는 것으로 생각해 본다.

충청남도는 바다를 가지고 있어서 그런지 좀더 서민적인 삶이 서려있는 고장으로 느껴진다. 명산 사찰이 많아 둘러 볼곳이 한둘이 아니다.

1. 광덕사 : 충북 단양 도락산 ('10,4,25 일 맑음)

경기도 화성시 서신면 상안리에 있는 신흥사에서 충청북도 단양의 도락산 기슭에 있는 광덕사에 방생을 가는데 함께 갔다.

도락산의 광덕사는 절의 형태가 완전히 다르다. 나무 기둥이나 기와는 없고 시멘트로 쌓아 올린 거대한 현대식 건물이다. 종무소나 부속 건물들은 스위스 같은 알프스 기슭에 있는 서양식 건축양식을 하고 있다. 훌륭한 스님이 계시고 감동을 주는 법문을 설 하시는 사찰이다. 자주 가지 못하는 것이 맘에 걸린다.

지금까지 방생은 물고기나 자라, 거북 등을 물에 놓아주는

것으로 알고 있었다. 그런데 강이나 호소(湖沼)가 아니고 언젠가 등산을 하였던 도락산이다,

무릇 모든 생명체를 중생이라 하고 살생을 금하고 있다. 중생은 일체라고 하신다. 하찮은 미물이라도 나와 똑같은 고귀한 생명체이다. 인과 응보 사상이나 윤회나 환생이나 모두가 같은 의미를 가지고 있음을 알 수 있다.

신흥사 성일 스님이나 광덕사 주지 스님도 한결같이 생명만 놓아 주는 것이 방생이 아니고 우리 자신도 놓아주고, 관계하는 모든 이를 놓아 주는 것이 진정한 방생이라 한다.

南無觀世音菩薩.

https://blog.naver.com/hoilsanta/221534752231

2010년 4월 26일

2. 군자사(君子寺) : 충북 괴산 칠성면 외사리 군자산 ('10,6,16 수 맑음)

충북 괴산의 괴산댐 올라가는 길에서, 왼쪽으로 논밭이 군자산 자락의 비탈에 계단식으로 이어져 있다. 논밭을 따라가다 보면 군자사란 표지가 있고 오른쪽 산비탈에 군자사가 보인다. 지은 년대는 자세히는 모르나 얼마 되지 않은 것 같은 느낌이 들고 아담한 대웅전과 삼성각이 나란히 서 있다. 입구에는 종무소 겸 요사채 같은 건물이 참배객을 맞이한다.

https://blog.naver.com/hoilsanta/221536040909
2010년 6월 16일

3. 법주사(法住寺) : 충북 보은 속리산('11,7,7 목 비)

장맛비가 오락가락하는 궂은날에 108배 순례길에 나섰다. 경부, 상주 고속국도를 타고 보은 I/C에서 빠져나와 국도 19호선으로 네비만 따라갔다. 푸른 들판에 비에 젖어 생기가 넘치는 벼들이 너무나 평화스럽고 풍족해 보이고, 간간이 떨어지는 빗방울이 산사로 가는 길에 청량감을 더해 준다. 산안개가 낮게 깔린 비 온 뒤의 법주사가 신비로워 보인다.

- 이하 옮겨온 글 -

대한불교조계종 제5교구의 본사이다. 553년(진흥왕 14)에 의신(義信) 조사가 창건했으며, 법주사라는 절 이름은 의신이 서역으로부터 불경을 나귀에 싣고 돌아와 이곳에 머물렀다는 설화에서 유래된 것이다. 776년(혜공왕 12)에 금산사를 창건한 진표(眞表)가 이 절을 중창했고 그의 제자 영심(永深) 등에 의해 미륵신앙의 중심도량이 되었다.

그후 법주사는 왕실의 비호 아래 8차례의 중수를 거쳐 60여 개의 건물과 70여 개의 암자를 갖춘 대찰이 되었다. 고려 숙종이 1101년 그의 아우 대각국사를 위해 인왕경회(仁王經會)를 베풀었을 때 모인 승려의 수가 3만이었다고 하므로 당시 절의 규모를 짐작할 수 있으며, 조선시대에 태조와 세조도 이곳에서 법회를 열었다고 전한다.

임진왜란으로 모든 전각이 소실된 것을 1624년(인조 2)에 벽암(碧巖)이 중창한 후 여러 차례의 중수를 거쳐 오늘에 이르고 있다. 현존하는 건물은 1624년에 중건된 대웅전, 1605년에 재건된 국내 유일의 5층 목탑인 팔상전, 1624년에 중창된

능인전(能仁殿)과 원통보전(圓通寶殿)이 있고 이밖에 일주문 · 금강문 · 천왕문 · 조사각 · 사리각, 선원(禪院)에 부속된 대향각 · 염화실 · 응향각이 있다. 또한 법주사의 중심법당이었으며 장육상(丈六像)을 안치했었다는 용화보전(龍華寶殿)은 그 터만 남아 있고, 이곳에 근대조각가인 김복진이 조성 도중 요절했다는 시멘트로 된 미륵불상이 1964년에 세워졌다. 1986년 이를 다시 헐고 1989년 초파일에 높이 33m의 청동미륵불상이 점안(點眼)되었다. 이밖에 국가지정문화재인 쌍사자석등(국보 제5호) · 석련지(石蓮池 : 국보 제64호) · 사천왕석등(보물 제15호) · 마애여래의상(보물 제216호) · 신법천문도병풍(新法天文圖屛風 : 보물 제848호) · 괘불탱(보물 제1259호)과 지방지정문화재인 세존사리탑(충청북도 유형문화재 제16호) · 희견보살상(喜見菩薩像 : 충청북도 유형문화재 제38호) · 석조(石槽 : 충청북도 유형문화재 제70호) · 벽암대사비(충청북도 유형문화재 제71호) · 자정국존비(慈淨國尊碑 : 충청북도 유형문화

재 제71호) · 자정국존비(慈淨國尊碑 : 충청북도 유형문화재 제79호) · 괘불(충청북도 유형문화재 제119호) · 철확(鐵鑊 : 충청북도 유형문화재 제143호) 등이 있다

https://blog.naver.com/hoilsanta/221549236724

2011년 7월 7일

4. 마곡사(麻谷寺) : 충남 공주 사곡 태화산(2009년 8월 7일 금 맑음)

-이하 옮겨온 글 -

대한불교조계종 제6교구 본사(本寺)로 현재 충청남도 70여 개 사찰을 관리하고 있다. 〈태화산마곡사사적입안 泰華山麻谷寺事蹟立案〉에 따르면 640년(신라 선덕여왕 9)에 중국 당나라에서 돌아온 자장(慈藏)율사가 통도사·월정사와 함께 창건한 절로 여러 차례 화재가 있었으나 고려 중기에 보조국사 지눌(知訥)에 의해 중건되었다고 한다.

절의 이름에 대해서는 2가지 설이 있는데, 자장이 절을 완공한 후 설법했을 때 사람들이 '삼'[麻]과 같이 빽빽하게 모여들었다고 해서 마곡사라 했다는 설과 신라 무선(無禪)대사가 당나라 마곡보철(麻谷普澈)선사에게 배웠기 때문에 스승을 사모하는 마음에서 마곡이라 했다는 설이 있다.

이 절은 고려 문종 이후 100여 년간 폐사되어 도둑떼의 소굴로 이용되었으나 1172년(명종 2)에 왕명을 받아 보조국사가 그의 제자인 수우(守愚)와 함께 왕으로부터 받은 전답 200결(160만 평)에 중창했다. 당시 사찰의 규모는 지금의 2배가 넘는 대가람이었으나 임진왜란 때 대부분 소실되었다. 그뒤 1650년(효종 1) 주지인 각순(覺淳)의 노력으로 어느 정도 옛 모습을 찾았으나 1782년(정조 6) 다시 큰 화재로 영산전과 대웅전을 제외한 1051여 칸의 건물이 소실되었다. 대광보전은 1788년(정조 12)에 재건되었고, 영산전과 대웅보전은 1842년(헌종 8)에 개수되어 현재에 이르고 있다. 또한 항일독립운동가 김구가 일본 헌병 중위를 죽이고 잠시 피신해 있었던 곳으로도 유명하다.

현재 이 절의 가람배치는 대웅보전(보물 제801호) · 대광보전(보물 제802호) · 5층석탑(보물 제799호)이 남북으로 일직선

상에 배치된 특이한 형식이며 그 주변으로 영산전(보물 제800호)을 비롯하여 응진전 · 명부전 · 국사당 · 대향각 · 흥성루 · 해탈문 · 천왕문 등의 부속건물이 있다. 이밖에 중요문화재로 감지은니묘법연화경 권1(보물 제269호), 감지금니묘법연화경 권6(보물 제270호), 석가모니불괘불탱(보물 제1260호), 동제은입사향로(지방유형문화재 제20호), 동종(지방유형문화재 제62호) 등이 있다.

https://blog.naver.com/hoilsanta/221519461369

2009년 8월 9일

5. 개심사(開心寺) : 충남 천안 광덕('09,12,2 수 흐림)

대한불교조계종 제7교구 본사인 수덕사(修德寺)의 말사이다. 〈사적기 事蹟記〉에 의하면 654년(무열왕 1) 혜감국사(慧鑑國師)가 창건할 당시에는 개원사(開元寺)라 했는데, 1350년(충정왕 2) 처능대사(處能大師)가 중건하면서 개심사라 했다고 한다. 1484년(성종 15)에 대웅전을 중창했으며 1740년 중수하고 1955년 전면 보수하여 현재에 이르고 있다. 전체적으로 구릉형을 따르면서도 산지형(山地形)으로 변천한 일탑형(一塔型) 가람배치를 보인다. 평탄한 지역에서 북으로 자연계단을 오르면 3단 가량으로 조성된 평탄한 사지(寺址)가 보인다. 2단에 안양루(安養樓)가 남면(南面)하여 서 있고 중정(中庭)으로의 입구는 안양루와 무량수전(無量壽殿) 사이의 협소

한 가설문으로 되어 있다. 대웅전을 중심으로 좌우에 심검당(尋劍堂)과 무량수전이 있고 정면에 안양루가 있는 표준형이다. 이외에도 명부전(冥府殿)과 팔상전(八相殿) 등의 당우가 남아 있다.

- 이상 옮겨온 글 -

https://blog.naver.com/hoilsanta/221525016767

2009년 12월 3일

6. 부석사(浮石寺) : 충남 서산 부석 ('09,12,12 토 맑음)

서산 부석면 취평리 도비산(352m)자락 중턱에 자리잡은 부석사(浮石寺). 이 사찰은 영주 부석사와 이름이 같고 창건설화도 같은 쌍둥이 사찰로 1천300년 전 의상스님이 창건한 것으로 전해지고 있다. 이 곳에는 의상스님과 선묘낭자의 애절한 사랑의 이야기, 바다에 떠 있는 '부석'에 대한 전설이 넘쳐난다. 부석사는 소박한 사찰의 규모로 1999년 주지로 부임한 주경(47)스님이 보살피는 인근지역 아이 4명을 포함해 10여 명이 살고 있다.

주경스님은 수필가로서도 활동 중이며 대표작으로는 지난 11월 2일 발행한 '미안하지만 다음 생에 계속 됩니다' 와 네 아이와 알콩 달콩 살아가는 삶의 흔적들이 배어 있는 '나도

때론 울고 싶다' '하루를 시작하는 이야기' '지혜의 길' 등 베스트셀러 저자로 잘 알려진 조계종의 작가다.

부석사는 677년 우리나라 화엄종의 개조이신 의상스님과 용으로 변해 의상스님을 지킨 당나라 여인 선묘낭자의 애틋한 전설로 창건되었다고 전하는 '극락전'의 상량기와 1330년 우리 부석사에서 조성된 아름다운 관세음보살님이 지금 일본의 대마도 관음사에 모셔져 있어 천년 고찰의 역사를 확인할 수 있습니다.

조선시대 무학스님이 중창하시고, 근대에는 한국불교를 중흥시킨 경허, 만공 대선사들께서 이 도량에 머무시며 수행정진 하셨습니다. 인중지룡(人中之龍)을 길러내는 곳이라는 '목룡장(牧龍莊)'과 지혜의 검을 찾는 곳이라는 '심검당(尋劍堂)' 현판은 경허스님의 글이고, 큰방에 걸려있는 '부석사(浮

石寺)' 현판은 1941년 만공스님께서 70세에 쓰신 글입니다. 그리하여 근대에는 선종(禪宗)을 중흥시킨 대선사(大禪師)이셨던 경허(鏡虛)스님과 만공(滿空)스님의 발자취가 남아 있는 역사가 깃든 도량으로 참으로 눈 밝은 수행자들이 이곳에서 면면이 수행가풍을 이어 내려왔습니다.

- 이상 옮겨온 글 -

https://blog.naver.com/hoilsanta/221526386971

2009년 12월 12일

7. 수덕사(修德寺) : 충남 덕산 덕숭산 (2010년 1월 19일 화 흐림)

문헌으로 남아 있는 기록은 없지만, 백제위덕왕 재위 때 고승 지명이 처음 세운 것으로 추정된다. 제30대 왕 무왕 때 혜현이 묘법연화경을 강설하여 이름이 높았으며, 고려 제31대 왕 공민왕 때 나옹이 중수하였다. 일설에는 599년 신라 진평왕21년에 지명이 창건하고 원효가 중수하였다고도 전한다. 조선시대 제26대 왕 고종2년에 만공이 중창한 후로 선종 유일의 근본도량으로 오늘에 이르고 있다.

주요 문화재로 국보 제49호인 수덕사 대웅전은 국보 제18호인 영주 부석사 무량수전과 함께 현존하는 우리나라 최고의 목조건물이다. 이밖에 대웅전 옆에 승려들의 수도장인 백련당과 청련당이 있고, 앞에는 조인정사와 3층석탑이 있다. 그리

고 1,020계단을 따라 미륵불입상, 만공탑, 금선대, 진영각 등이 있고, 그 위에 만공이 참선도량으로 세운 정혜사가 있다.

부속 암자로 비구니들의 참선도량인 견성암과 비구니 김일엽이 기거했던 환희대가 있으며, 선수암, 극락암 등이 주변에 산재해 있다. 특히 견성암에는 비구니들이 참선 정진하는 덕숭총림이 설립되어 있다.

https://blog.naver.com/hoilsanta/221529910018
2010년 1월 20일

8. 법련사(法蓮寺) : 충남 온양 광덕산('10,5,26 수 맑음)

온양에서 국도 39호선을 타고 공주 방향으로 가다가 외암민속마을 지나서 고개를 넘자마자 왼쪽으로 광덕산 계곡을 찾아들면 법연사가 있다. 물소리 산새 소리만 들리는 아주 고요한 사찰이다. 견우와 직녀가 오작교에서 해후를 하는 기막힌 장면을 볼 수 있을 만큼 맑은 공기와 하늘이 있는 암자 같은 절이다. 정기 어린 광덕산이 사방을 병풍처럼 둘러치고 있어서 투명한 하늘만 보이는 더 없는 수도의 도량이다.

https://blog.naver.com/hoilsanta/221535369177

2010년 5월 27일

9. 흥국사(興國寺) : 충남 당진 ('10,6,17 수 맑음)

서해안 고속국도로 서해대교를 건너면 바로 송악 I/C가 나온다. 여기서 당진 방향으로 34번 국도를 따라서 얼마 가지 않아서 오른쪽으로 접어들면 나지막한 야산 아래 흥국사라는 정감이 가는 사찰이 있다. 부설로 어린이집을 운영하면서 새싹들을 돌보고 있는 전국에서도 몇 안 되는 절이다. 가는 날이 장날인지는 몰라도 주지 스님이 손수 가꾼 감자를 캐서 어린이마다 공평하게 나누어 주고 있는 모습이 바로 부처님같이 보였다.

https://blog.naver.com/hoilsanta/221536042814
2010년 6월 17일

10. 안면암(安眠庵) : 충남 안면도('10,7,24 토 흐림)

충청남도 태안군 안면읍 정당리에 있는 안면암은 대한불교조계종 제17교구 본사 금산사의 말사이다. 안면도 해변가에 3층 현대식 건물로 지은 절이다. 2층 법당에서 앞바다의 여우섬이라는 2개의 무인도를 볼 수 있고 부교가 섬까지 놓여 있어서 걸어서 갈 수도 있다.

https://blog.naver.com/hoilsanta/221537010194

2010년 7월 25일

11. 간월암(看月庵) : 충남 서산 부석 간월도('10,12,14 화 흐림)

충남 서산시 부석면에 위치한 간월도.
간월도가 예전에는 피안도(彼岸島), 간월암은 피안사(彼岸寺)라고 불린 적이 있다.

원효대사가 세웠다고 하는데 그 출처가 분명하지는 않다. 밀물이 들어오면 물위에 떠 있는 연꽃과 같다 하여 연화대(蓮花臺)라고도 불렀다. 고려 말에 무학 대사가 이곳에서 수행 중에 달을 보고 홀연히 도를 깨우쳤다 하여 암자 이름을 간월암(看月庵) 이라 하고 섬 이름도 간월도라고 하게 되었다, 무학 대사의 득도처였다는 것을 뒷받침하는 것은 대사가 태어난 곳이 간월암에서 멀지 않은 충남 서산시 인지면 모월리 이기 때문이다.

무학이 누구인가.

1392년 왕사로서 조선 개국에 참여 했고, 한양 천도를 주도한 인물이었다. 그 공으로 인해 간월도와 인근의 황도를 하사 받아 절을 지었으니 그가 지은 절을 무학사(無學寺)라고 불렀다고 한다. 그 후 조선의 억불정책으로 폐사되었던 것을 1941년 만공선사가 중창하여 오늘에 이르고 있다.

무학 대사는 간월암을 떠나면서 짚고 다니던 주장자를 뜰에 꽂으며, 지팡이에 잎이 피어나 나무가 되어 자랄 것인데 그 나무가 말라죽으면 나라가 쇠망할 것이요, 죽었던 나무에서 다시 잎이 피면 국운이 돌아 올 것이라 예언했다고 한다.

만공스님은 죽었던 나무가 다시 살아났다는 소문을 듣고 간월암을 찾으니 암자는 간 곳이 없고, 그 자리에 묘가 들어서 있었는데, 실제 귀목나무에서 새파란 잎이 돋아나 있는 것을 보고 이곳에 머물며 중창을 위한 기도를 드리기 시작했다. 기도 회향 전에 김씨 가문에서 묘를 이장해 가는 가피가 답지하였고, 절터를 되찾은 다음 제법 모습을 갖춘 암자를 짓고 손수 간월암이라는 현판을 써서 내건 후 종종 찾아와서 한소식을 했었던 추억의 장소가 간월암인 것이다.

언젠가 만공스님이 끝없이 보채는 파도를 보다가 송(頌)을 한수 읊었다.

조국의 독립 소식을 전해들은 만공스님은 무궁화 꽃에 먹물을 듬뿍 찍어 '세계일화(世界一花)' 라고 쓰시고 대중 앞에서 말씀하시길

“너와 내가 둘이 아니요, 이 나라 저 나라가 둘이 아니요, 이 세상 모든 것이 한 송이 꽃이다. 머지않아 이 조선(朝鮮)이 세계일화(世界一花)의 중심이 될 것이다. 지렁이 한 마리도 부처로 보고, 저 미웠던 왜놈들까지도 부처로 보아야 이 세상 모두가 편안할 것이다."라고 하셨으니 그 법기(法器)의 크기를 가늠이나 할 수 있으랴.

1980년대 진행된 천수만 간척사업으로 인해 육지와 연결된 간월도. 방조제가 생기기 전에는 배를 타지 않으면 닿을 수 없는 작은 섬이었다.

간월도는 이제 뭍이 되었지만 간월암은 지금도 하루에 두 번 만조 때 섬이 되고 간조 때는 뭍이 되는 신비로움을 간직하고 있다.

특히 간월암에서 바라보는 낙조는 바다 위 통통배와 갈매기가 어우러져 한폭의 그림이 된다. 보는 이로 하여금 수채화의 주인공이 되는 동시에 숙연함과 설레임을 함께 느끼게 하니 이런 곳이 또 있겠는가.

- 이상 옮겨온 글 -

https://blog.naver.com/hoilsanta/221543613269

2010년 12월 14일

12. 동학사(東鶴寺) : 충남 공주('11,4,27 수 맑음)

01 최초창건

동학의 최초창건은 남매탑 전설에 전해지는 상원조사로 부터 시작된다.

신라시대에 상원조사가 암자를 짓고 수도하다가 입적한 후, 724년(신라 33대 성덕왕 23)그곳에 그의 제자 회의화상이 쌍탑을 건립하였다고 전해진다. 당시에는 문수보살이 강림한 도량이라 하여 절 이름을 청량사라 하였다.

02 제1중창

고려시대에 들어서 920년 경진 (고려태조 3)에 왕명을 받아 연기 도선국사가 중창하였다.

국사가 원당을 건립하고 국운융창을 기원했다해서 태조의 원당이라 불리웠는데, 이 원당은 조선초에 소각 되었고, 태조 19년 병신 (936년)에 신라가 망하자 신라의 유신으로서 고려 태조 때 대승관 벼슬을 한 유차달이 이 절에 와서 신라의 시조와 신라의 충신 박제상의 초혼제를 지내기 위해 동계사(東鷄士)를 짓고절을 확장한 뒤 절 이름도 지금의 동학사로 바뀌었다.

절의 동쪽에 학 모양의 바위가 있으므로 동학사라고 했으며, 고려의충신이자 동방이학의 조종인 정몽주를 이 절에 제향했으므로 동학사라는 설도 있다.

03 제2중창

조선시대에 들어서는 1394년(조선 태조 3)에 고려의 유신 길재가 동학사의승려 운선스님과 함께 단을 쌓아서 고려 태조를 비롯한 충정왕·공민왕의 초혼제와 충신 정몽주의 제사를 지냈다.

1457년(세조 3)에 김시습이 조상치·이축·조려등과 더불어 삼은단 옆에 단을쌓아 사육신의 초혼제를 지내고, 이어서 단종의 제단을 증설했다.

다음해 1458년 세조가 동학사에 와서 이곳을 들러 보고는 감동해서 단종을 비롯하여 정순왕후·안평대군·금성대군·김종서·황보인·정분등과, 사육신, 그리고 세조의 왕위 찬탈로 인해 억울하게 죽은 280여명의 이름을 비단에 써서 주며 초혼제를 지내게 한 뒤 초혼각을 짓게 하고 동으로 만든 세조의 인신과 토지 등을 하사했으며, '동학사'라고 사액한 다음 절의 스님과 유생이 함께 제사를 받들도록 했다.

그 뒤 1728년 무신(영조 4)에 신천영이 형화하여 절과 초혼각이 전부 불타 없어졌고, 또한 1785년(정조 9)에는 정후겸이 토지를 팔아버려 제사가 일시 중단되기도 했다.

04 제3중창

1814년 갑술(순조 14) 금봉 월인 스님이 예조에 상소하여 12차례의 소송 끝에 잃었던 토지를 되찾았으며, 옛 원당터에 실상암을 짓고 절을 중건하여 절 이름을 개칭하되 '진인출어동방(眞人出於東方)'이라 하여「東」자를 따고 '사판국청학귀소형(寺版局靑鶴歸巢形)'이라 하여 「鶴」자를 따서 동학사라 명명했다는 설이 있으며, 또한 그 밖의 전각과 혼록봉장각을 세우는 등 절을 대대적으로 중건하였다. 1827년 홍희익이 세조의 동인을 봉안하는 전각을 새로 지었으며, 충청좌도어사 유석이 300냥을 내고 정하영이 제사 비용을 마련하기 위한 토지를 시주해 제사를 베풀었다.

05 제4중창

1857년(철종 8)에는 우운 아준 스님이 동학사에서 지장계를 주관하였고, 이어서 1864년 갑자(고종 원년) 봄에 금강산에 있던 만화 보선 스님이 이곳으로 와서 제자인 우운 아준 · 호봉스님 등과 함께 오래된 건물을 전부 헐어내고 전각 40칸과 초혼각 2칸을 새로 지었는데, 초혼각은 1904년(광무 8) 숙모전으로 이름을 바꾸었다. 1867년(고종 4)에는 포운응원(1807-1867)스님이 이곳에서 하안거 결제에 들어간 직후 입적했다.

그 뒤 만화 스님의 제자 경허성우(1849-1912)스님이 1871년(고종 8)에 이곳 동학사에서 강의를 열었고, 1879년에는 이곳에서 큰 깨달음을 얻어 한국의 선풍을 드날렸다.

06 제5중창

만화화상이 중흥주라면 만우상경(萬愚常經, 1855~1924년)은 한말과 일제 초의 격심한 사회혼란과 불안속에서 동학사를 잘 지켜나간 수성주라 할 수 있다.

1889년 주지직을 승계받은 만우스님은 1898년 대웅전에 탱화 4폭을 안치하여 봉안하고, 10년 뒤(1909년)에 기와중수 불사를 하였다.

근대에서는 1950년의 한국전쟁으로 절의 건물이 전부 불타 없어졌다가 1960년 이후 서서히 중건되었다. 현재의 전각으로는 대웅전 · 삼성각을 비롯하여 조사전 · 육화원 · 강설전 · 화경헌 · 범종각 · 염화실 · 실상선원 · 숙모전 등이 있다.

산내암자로는 18세기까지만 하더라도 석봉암 · 천장암 · 마쇄암 · 보현암 · 실상암 · 옥천암 · 극락암 등이 있었으나, 현재는 관음암 · 길상암 · 문수암 · 미타암 · 귀명암 · 상원암 등이 있다.

- 이상 동학사 홈페이지에서 옮겨온 글 -

https://blog.naver.com/hoilsanta/221547409906

2011년 4월 28일

13. 고성사 : 충남 아산 인주('10,2,27 토 맑음)

아산만 방조제를 건너면서 아산으로 가다 보면 오른쪽 산허리에 높다랗게 올려 보이는 절이 고성사다. 고성사라는 유명한 절이 너무나 많아서 그런지 인터넷에 찾아보아도 아산 인주에 있는 사찰은 아직은 올려진 바가 없는 것 같다. 스님의 염불 소리가 타사에 비하여 더 낭랑하게 들리고 절 마당에서 내려다보이는 인주 평야가 한눈에 들어온다. 부처님이 하계의 중생들을 보살피고 있는 것 같은 감이 든다.

https://blog.naver.com/hoilsanta/221531247468
2010년 2월 27일

제6부 전라남북도와 제주도 절 108 순례

전라도 하면 호남평야를 연상하게 되고 따라서 산은 별로고 들만 있는것 같은 느낌이 먼저 든다.
하지만 막상 다녀 보면 들도 넓지만 산이 더 많은것 같다.

충청남도에 이어서 전라북도가 붙어 있다. 차령산맥을 넘어서 금강을 건너면 전라북도다. 동에서 서로 뻗어 있는 소백산맥을 비롯하여 고봉 준령이 진을치고 있는 가운데 고찰들이 자리하고 있다.

전라남도 역시나 북도에 이어서 조금도 다를바가 없다. 특히 지리산을 끼고 있어서 명찰들이 수도 없이 많다.

바다건너에 제주도에도 최근에 들어서 유명한 절들이 들어 서고있다. 모두 순례를 못하여 아쉬움이 많다.

1. 숭림사(崇林寺) : 전북 익산 웅포 함락산('11,4,24 일) 맑음

전라북도 익산시 웅포면 송천리 함라산에 있는 절이다. 숭림사 /숭림사보광전(1345), 보물 제825호, 전북 ...

대한불교조계종 제17교구 본사인 금산사의 말사이다. 1345년(충목왕 1)에 창건했는데, 중국 선종의 초조(初祖)인 달마(達磨) 대사가 허난 성[河南城] 숭산(嵩山) 소림사(少林寺)에서 9년 동안 면벽좌선(面壁坐禪)을 했다는 고사(故事)에서 절이름을 따왔다고 한다. 임진왜란 때 보광전(普光殿 : 보물 제825호)만 빼고 모두 소실되었는데 10년 뒤에 우화루(雨化樓)만 재건되었다. 그뒤 사적이 없이 내려오다가 1923년에 황성렬 주지가 나한전과 영원전을 신축하여 오늘에 이르고 있다. 현존하는 당우로는 보광전 우화

루 · 영원전 · 나한전 · 요사채 등이 있다. 절 입구에는 부도군이 있다.

- 이상 옮겨온 글 -

https://blog.naver.com/hoilsanta/221546716150

2011년 4월 28일

2. 사성암 : 전남 구례 오산(2009년 3월 26일 목요일)맑음

부처님의 가피력과 도편수의 기막힌 기술력으로 빚어낸 사성암의 법당이, 오산의 바위틈에 아슬아슬하게 매달려 보는 이로 하여금 신비로움을 자아낸다. 원효, 의상, 도선, 진각 4명의 고승이 수도를 하였다고 하여 사성암이라 한다.

또한 최근에는 활공장(滑空場)이 있어서 젊은이들이 즐겨 찾는 명소가 되기도 한다.

四聖庵 春香

봄기운에 조는 듯한
노란 개나리꽃
맘 설레게 하고

꽃망울 부풀어 올라
피어나는 벚꽃길 따라
섬진강물 흐르고

오산의 동주리봉에
부처님의 사성암이
중생을 굽어살피시나이다

https://blog.naver.com/hoilsanta/221514712261

2009년 3월 28일

3. 불갑사(佛甲寺) : 전남 영광 함평 해보 불갑산 (2009,9,24) 목 맑음

대한불교조계종 제18교구 본사인 백양사의 말사이다. 1909년에 쓴 〈불갑사창설유서 佛甲寺創設由緖〉에 의하면 384년(침류왕 1)에 마라난타(摩羅難陀)가 창건했고, 805년(애장왕 5)에 중창했으며 그 뒤에도 여러 차례의 중창이 계속되었다고 한다. 고려시대에 각진국사(覺眞國師)가 머물면서부터 크게 번창했는데 당시에 머물던 승려는 수백 명에 이르렀고, 사전(寺田)도 10리에 달했다고 한다. 정유재란 때 소실된 것을 1680년에 중건한 뒤 여러 차례의 중수를 거쳐 오늘에 이르고 있다. 현존 당우로는 대웅전·팔상전·칠성각·일광당·명부전·요사채 등이 있다. 이밖에 각진국사비(1359)와 여러 점의 부도가 있고 전국적으로 손꼽히는 거상인 사천왕상이 있다.

- 이상 옮겨온 글 -

https://blog.naver.com/hoilsanta/221521432535

2009년 9월 24일

4. 천은사(泉隱寺) : 전남 구례 지리산('10,5,20 목 맑음)

천은사는 구례읍 북쪽 9㎞지점, 지리산 일주도로 입구에 위치하고 있으며 신라 흥덕왕 3년 (828년)에 덕운조사와 인도의 승려 <스루>가 터를 닦고 지은 절로서 화천양사라 하여 화엄 사와 함께 지리산 3대 사찰로 손꼽힌다. 임진왜란 때 불타 없어진 것을 조선 광해군 2년(16 10년)에 혜정선사가 다시 지었으나 숙종2년(1676년)에 불에 타버려 그 이듬해 절을 지었다가 영조49년(1773)에 화재를 당해, 영조 51년 (1775년)에 혜암선사가 다시 지어 오늘에 이르렀다.

천은사의 본래 이름은 828년 인도승려와 덕운조사가 창건할 당시 경내에 이슬처럼 맑은 차가운 샘이 있어 감로사

라 했는데, 이 물을 마시면 흐렸던 정신이 맑아진다 하여 많은 스님들이 몰려 들어 한 때는 천명이 넘는 스님이 지내기도 했으며 고려 충렬왕 때는 남방제일사찰로 승격되기도 했다.

일주문 현판에는 "지리산 천은사" 글씨가 석자씩 두 줄로 쓰여 있는데, 그 글씨가 구불 구불 흐르는 물줄기 같기도 하고 지리산 속에 부는 바람 같기도 하여 눈길을 끈다.

그러나 임진왜란으로 불탄 뒤 중건할 때 샘가에 큰 구렁이가 자주 타나기에 잡아 죽였더니 샘이 솟아나지 않았다고 한다. 그래서 샘이 숨었다하여 조선 숙종 4년(1677년)부터 천은사라 이름을 바꾸었는데, 이상하게도 이름을 바꾼 후부터 원인모를 화재가 잦고 재화가 끊이지 않았다. 주민들도 절의 수기를 지켜주는 구렁이를 죽였기 때문이라며 두려워하였다. 이 소식을 전해들은 조선4대 명필의 한 사람인 원교 이광사가 지리산 천은사라는 글씨를 물 흐르는 듯한 서체로 써서 걸었더니 이후로는 화재가 일어나지 않았다고 한다. 지금도 새벽녘 고요한 시간에는 일주문 현판 글씨에서 물 흐르는 소리가 은은하게 들린다고 한다. 그러고 보면 일주문은 절의 귀중한 내력을 담고 있는 셈이다.

https://blog.naver.com/hoilsanta/221535367546
2010년 5월 21일

5. 평화통일불사리탑사 : 제주 제주 조천 조천리 ('11,3,22 화) 흐림

평화통일불사리탑사는 제주에 유배되어 입적한 조선시대 허응(虛應) 보우(普雨, 1509~1565) 스님과 환성(喚醒) 지안(志安, 1664~1729) 스님, 그리고 중국의 정법 대사(正法大師) 등의 순교비를 세워 전법 정신을 잇고, 일제강점기와 제주 4·3 사건 당시 억울하게 숨진 수많은 영령들을 위로하며 우리 민족의 숙원인 평화 통일을 이루어 내고자 하는 원력으로 창건되었다.

[변천]

1980년대 중반 고관사(古觀寺)의 중창 불사 도중 아미타불 복장에서 진신 사리가 나오자 당시 주지였던 도림 스님이 원을 세워 1998년 8월 평화통일불사리탑사를 완공하였다

[현황]

평화통일불사리탑사에는 3층으로 된 불사리탑과 요사, 보우대사와 지안 스님의 기념비 등이 세워져 있다. 내부에는 법당, 약사전, 설법전, 선방, 사경실, 문화원 등이 갖추어져 있다. 특히 1층 법당에는 약사여래불, 2층 법당에는 석가모니불, 3층 법당에는 아미타불을 봉안하여 삼십삼천의 연화세계를 체험할 수 있도록 형상화 해 놓았다.

불사리탑 곳곳에는 창건 당시의 원력들을 모아 갖가지 상징들로 형상화되어 있다. 우선 일주문은 우리 민족의 오랜 숙원인 평화 통일을 기원하며 북쪽의 백두산 천지를 향하도록 설계하였다.

불사리탑은 1층 1,205㎡, 2층 924㎡, 3층 356㎡ 규모이며 총 높이 33m의 구조물로 조성되어 있는데, 그 구조 자체가 특별한 갖가지 서원을 형상화한 것이다. 평수로 환산했을 때 1층 365평의 불사리탑 원형 바닥은 우주의 완전한 평화와 행복을 의미한다. 2층과 3층은 각각 280평과 108평으로 280수와 108번뇌를 상징한다.

불사리탑의 외양이 사리탑과 같은 형태를 띠는 것은 석가모니 부처님 진신 사리의 원력으로 세워진 사찰임을 나타낸다. 전체 높이가 33m로 조성된 것은 우주 삼십삼천 모든 생명의 청정한 성불을 발원하기 위한 것이다.

불사리탑을 자세히 들여다보면 다보탑(多寶塔)과 석가탑(釋迦塔)의 특징이 곳곳에 접목되어 있음을 알 수 있는데 이는 우리 민족 문화의 우수성을 널리 알리기 위한 것이다. 뿐만 아니라 불사리탑 난간은 신라 황룡사 9층탑을 형상화하여 이곳을 찾는 신도들이 탑돌이를 하며 기도 정진할 수 있도록 마련해 놓았다.

평화통일불사리탑사의 법화경 사경탑(寫經塔)에는 5만권의 사경(寫經)이 봉안되어 있어 사경 수행 도량으로서의 면모를 다하고 있다. 이외에도 지장보살 사경탑, 관세음보살 사경탑, 평화통일의 종 사경탑 등 도량의 모든 탑에 사경이 봉안되어 있다. 또한 평화통일불사리탑사에는 보우사상연구원이 활동 중에 있다.

- 이상 옮겨온 글 -

제가 법화경을 108번 사경을 하게 된 동기가 도림 스님의 녹음테이프를 듣고서 시작하였다.그 녹음 중에 도림 스님이 법화경의 사경을 특히 강조 하셨다. 사경을 할 때는 온 정성을 쏟아서 하라고 하셨으나, 오늘 현재 105번째 사경을 하고 있지만, 아직 한번도 획 하나까지 틀리지 않고 제대로 사경을 한 것은 없는 것 같다. 도림 스님은 척 보기만 하면 몇 번을 썼는지 아신다고 하였는데…. 제대로 한 번이라도 쓰기를 다시 한번 다짐을 한다. 바로 그 도림 스님이 말씀하시는 제주의 사찰을 자전거 여행하면서 참배를 하게 될 줄이야…! 그것도 100번째를…! 감회가 무량하다.

https://blog.naver.com/hoilsanta/221546113214
2011년 3월 27일

6. 보림사(寶林寺) : 제주 제주 건입동('11,3,26 토 맑음)

1957년에 창건되었으며 사라봉 대웅전, 법당, 천왕문, 보림사 제주도 유형문화재 제18호로 지정된 목조관음보살좌상이 보림사 본존불로 봉안되어 있는데, 전라남도 순천 선암사(仙巖寺)에서 조선 후기에 제작된 불상으로 보림사 창건 당시 제주로 옮겨 온 것이다. 절 주변에는 모충사, 우당도서관, 국립제주박물관 등이 있다.

https://blog.naver.com/hoilsanta/221546714513
2011년 3월 28일

제7부 부산과 경상남북 절 108 순례

부산과 경상남북도는 우리나라 백두대간을 소백산맥으로 그 여새를 몰아 척추의 마지막까지 내려와 남해에서 멈추는 지형속에 굽이 지고 계곡을 이루는 가운데 옛신라의 맥을 이어 받아서 유명 사찰이 많다.

경상북도는 신라시대에 창건된 이름난 절들이 지방 곳곳에 산재해 있다.
마찬가지로 부산과 경상남도에도 그 때 그 시절 부터 전해오는 유명사찰에 보태서 최근에는 도심지에도 많은 절들이 생겨 났다.

애초에 108 순례를 할때 우리나라 최서북단부터 시작하여 제일 동남쪽 끝에서 끝내기로 한 계획상 순서에 따라서 석가모니 부처님의 진신사리가 모셔져 있는 양산 통도사에서 끝을 맺는 감회가 좋다.

그동안 명적 문호일 수고 했습니다, 하고 자신에게 다독여 준다.

1. 불국사(佛國寺) : 경북 경주(2009년 4월 5일 일 맑음)

경주의 보문단지 벚꽃이 유명하다는 것은 익히 알고 있었다. 그러나 하도 오래되었고 하여 이번에 큰마음 먹고 그동안 변화된 모습을 보고 싶어서 갔다. 날씨도 온화하여 벚꽃이 피기에 아주 적합하고, 관광하는 날씨도 최상이다. 아마도 일 년 중에 이렇게 좋은 날은 없을 것 같다. 금상첨화라는 말은 이런 때 쓰는 말인가 한다. 경주가 완전히 벚꽃으로 덮여 있다 해도 과언이 아닐 것 같다. 경주인들의 내 고장 사랑하고 가꾸는 정신을 본받아야 하리라. 다음에 이 벚꽃길을 따라서 트래킹을 한번 해야지….

벚꽃(분위기상 曼陀羅꽃 같이 보인다)에 둘러싸인 불국사에 들러서 108배를 드리고 왔다. 불국사는 너무나 잘 알려진 절이기 때문에 구차한 설명은 오히려 느즈레가 될 것

같아서 생략하기로 한다.

https://blog.naver.com/hoilsanta/221514724252

2009년 3월 29일

2. 김용사(金龍寺) : 경북 문경 산북 김용 운달산 (2009,4,23 목 맑음)

김룡사는, <운달산김룡사사적서 (雲達山金龍寺事蹟序)>에 따르면, 신라 진평왕 10년(588) 운달 조사 (雲達祖師)가 개선하여 사명을 운봉사(雲峰寺)라 하였다고 되어 있다. 따라서 본래의 절 이름인 운봉사라 사명이 조선시대 후기까지도 그대로 사용되었다고 생각되는 것은 사중에 전해지는 괘불화기 (掛佛畵記, 1703년) 에도 운봉사라 기록하고 있기 때문이다. 다만 사명이 김룡사로 바뀐 연유는 여러 가지로 전해지고 있으나, 그 중에서 가장 믿을 만한 것은 김씨 성을 가진 사람이 죄를 지어 이곳 운봉사 아래에 피신하여 숨어 살면서 신녀가 (神女家)를 만나 매양 지극한 정성으로 불전에 참회하더니 한 아들을 낳아 이름을 용이라 하였다. 그 이후부터 가운이 크게 부유해져 사람들은 그를 김장자(金 長者)라 하였고, 이로 인하여 동리 이름 또한 김룡리(金龍里)라 하였으며, 운봉사 역시 김룡사로 개칭하였다는 기록이 전해지고 있다. 그러므로 이 절은 최소한 18세기 이후 김룡사란 이름으로 되었다고 생각된다.

지금의 김룡사가 큰절의 초창은 인조2년에 수행 공덕으로 고명했던 혜총선사가 제자들과 힘을 모아 이룩하였으며 그 후 소실된 것을 의윤, 무진,대휴의 세분 대사가 옛모습을 되살 려 놓아 번창시에는 48동에 건평 1,188평이나 되었으나 현재는 대소 전각 30여채가 남아 있다. 협상한 모습의 사천왕 신장상이 방문객을 압도하고 대웅전을 위시한 고색 창연한 전각들이 그 옛날의 창성을 말해주고 있다.

그 중에서도 경흥 강원 건물은 국내 최대 강원건물 의 하나로 300명을 동시에 수용 할 수 있는 온돌방으로서 그 부엌 아궁이는 어린 학생들이 걸어 들어갈 수 있을 만큼 크다. 인조 27년 설잠대사가 조성한 대웅전의 불상은 그 규모가 웅대하며 기예 또한 현묘하고 성균대사가 만든 후불탱화가 유명하다. 고종26년에 사증대사가 조성한 거대한 쾌불탱화를 비롯한 죽은 사람의 생전사가 기록 영화처럼 비쳐진다는 거울 등 수많은 문화유산을 소 장하였으며 석탑과 석상을 절뒤에 세운것은 그 선익을 진압한다는 뜻이며 혹은 산혈의 측 맥을 보우하는 뜻이라 한다. 김용사에서 특이한 것은 절 입구에 지은 지 300여년 된 해우소 (근

심을 해소시키는 장소 라는 의미의 화장실) 가 있는데 토속적인 목조 건물로 꼭 한번 확인하기를 권하는 특별한 장소다.

- 이상 옮겨온 글 -

https://blog.naver.com/hoilsanta/221515611210

2009년 4월 25일

3. 운문사(雲門寺) : 경북 청도('09,12,31 목 맑음)

대한불교조계종 제9교구 본사인 동화사의 말사이다. 560년(신라 진흥왕 21)에 신승(神僧)이 창건한 절로 608년(진평왕 30)에는 원광법사가 이곳에 머물면서 크게 중창했다고 한다. 그러나 〈삼국유사〉 권4 원광서학(圓光西學) 및 보양이목조(寶壤梨木條)에 원광법사와 운문사는 관련이 없다고 기록되어 있다. 〈사적기 寺蹟記〉에 따르면 고려시대인 937년(태조 20) 중국 당(唐)나라에서 법을 전수받고 돌아온 보양국사(寶壤國師)가 까치떼의 도움으로 이 절을 짓고 작갑사(鵲岬寺)라 했으나, 943년 삼국을 통일한 태조 왕건이 보양국사가 절을 세웠다는 말을 듣고 많은 전답과 함께 '운문선사'(雲門禪寺)라고 사액한 뒤부터 운문사라 부르게 되었다고 한다. 1105년(숙종 10)에 원진국사(圓眞

國師)가 중창한 이후로 많은 고승들이 배출되었으며, 조선시대인 1690년(숙종 16) 설송(雪松)이 임진왜란 때 폐허화된 절을 다시 중건하여 어느 정도 옛 모습을 되찾게 되었다.

현재 이 절에는 조계종 운문승가대학이 설치되어 많은 비구니들의 교육과 연구기관으로서의 역할을 담당하고 있다. 경내에는 우리나라 사찰 중 가장 규모가 큰 만세루(萬歲樓)를 비롯하여 대웅보전(보물 제835호)·미륵전·작압전(鵲鴨殿)·금당·강당·관음전·명부전·오백나한전 등 조선시대의 많은 건물들이 남아 있다.

중요문화재로는 금당앞석등(보물 제193호)·동호(보물 제208호)·원응국사비(보물 제316호)·석조여래좌상(보물 제317호)·사천왕석주(보물 제318호)·3층석탑(보물 제678

호) 등이 있다.

- 이상 옮겨온 글 -

https://blog.naver.com/hoilsanta/221528505593

2010년 1월 5일

4. 법계사(法界寺) : 경남 산청 중산 지리산('09, 6, 13 토 맑음)

법계사는 지리산 중허리에 있는 사찰이다. 중산리에서 지리산 천왕봉으로 올라가는 길에서 보인다. 지리산을 오르내리는 심신이 피로한 많은 등산객들이 피로도 풀고 꺾인 의지를 다시 찾아가는 휴식과 안식의 공간을 제공하고 있으며 인근에 로터리 대피소가 있다.

2009년 6월 13일에 지리산 등산 겸 108배 순례 차 들려서 참배하고 여기저기 경내를 둘러보았다. 그중에서도 부처님의 진신사리가 봉안되어 있는 적멸보궁과 보물 제473호 삼층 석탑이 많은 관심을 끌었다. 우리나라의 맥을 끊으려고 일제가 박아놓은 철물을 뽑아 놓은 주지 스님의 명문이 찡하게 한다. 아래 설명문과 사진을 올립니다

- 이하 옮겨온 글 -

대한불교조계종 제12교구의 본사인 해인사의 말사이다.

이 절은 544년에 연기조사(緣起祖師)가 창건했다고 하며 한국에서 가장 높은 해발 1,400m에 위치해 있다. 6·25전쟁 때 불탄 것을 최근에 중건해 절의 면모를 갖추었다. 법당 왼쪽 바위 위에는 보물 제473호로 지정된 법계사3층석탑이 있다.

https://blog.naver.com/hoilsanta/221518191537
2009년 6월 14일

5. 원각사 : 경남 거창 위천 수승대('10,1,3 일 맑음)

거창군의 군립공원인 수승대 산기슭에 아늑히 자리하고 있는 해인사의 말사인 조계종 사찰이다. 절 입구에는 아름드리 소나무가 울울창창하고, 남덕유산에서 발원한 맑은 물이 청류를 이루어, 예로부터 선비들이 수승대 누각에서 풍류를 즐기던 명소가 있다.

조용한 산사의 따끈따끈한 온돌방에서 밤 깊은 줄 모르고 담소를 즐기는 사이에 함박눈은 소리 없이 내리고, 한밤은 깊어만 간다.

https://blog.naver.com/hoilsanta/221529329333

2010년 1월 5일

6. 해동용궁사(海東龍宮寺) : 부산 기장 기장 ('10,1,1 금 맑음)

해동용궁사 창건 歷史

옛날부터 숱한 신비한 변화를 간직하고 인류와 역사를 함께 해온 바다!

잔잔함의 평화로움이 있는가 하면 폭풍우를 동반한 성냄도 있다.

대개의 사찰이 산중 깊숙이 있는 것과는 달리 해동용궁사는 이름그대로 검푸른 바닷물이 바로 발아래서 철썩대는 수상법당이란 표현이 옳을 것이다.

무한한 자비의 화신인 관세음보살님은 이런 바닷가 외로운 곳(海岸孤節處)에 상주하시며 용을 타고 화현하신다 하셨다.

그래서 우리나라의 관음신앙이 해안이나 섬에 형성되어 있으니 양양 낙산사, 남해 보리암, 해동용궁사로 한국의 삼대 관음성지의 한곳이며, 민족의 영산인 백두대간이 남랑을 타고 태백을 줄달음 해 태평양을 건너기 전 동해의 최남단에 우뚝 솟아 멈춰서니 이곳이 곧 해동제일 대명지(海東第一 大明地)라, 해동용궁사는 본래 고려우왕 2년(1376년) 공민왕의 왕사였던 나옹화상에 의해 창건 되었다.

나옹스님이 법을 구하기 위해 전국토를 헤매일 때 현 해동용궁사 자리에 당도하여 지세를 살펴보니 배산임수背山臨水 조성모복지朝誠暮福地 즉 뒤는 산이요 앞은 푸른바다로 아침에 불공을 드리면 저녁에 복을 받는 신령스런 곳이다.' 하시고 이곳에 토굴을 짓고 수행정진을 했다고 전한다. 기장 현지를 살펴보면 고려 때는 봉래산임을 알 수 있

다.

임진왜란 때 전화로 소실되었다가 1930년대초 통도사 운강스님이 보문사로 중창했고, 그 후 여러 스님이 거쳐 오셨으며 1970년 초 정암화상晸庵和尙이 주석하면서 관음도량으로 복원할것을 서원하고 기도정진한 즉 회향일 몽중에 백의관세음보살님이 용을 타고 승천하신 것을 친견하시고 산 이름을 보타산(普陀山), 절 이름을 해동용궁사로 개칭하게 되었다.

- 이상 옮겨온 글 -

https://blog.naver.com/hoilsanta/221529326826

2010년 1월 5일

7. 장안사(長安寺) : 부산 기장 장안 ('10,3,13 토 맑음)

장안사는 원효대사가 창건할 당시에는 쌍계사라 하였다가 애장왕 때에 장안사라 개칭하였고, 임진왜란 때 불탄 것을 1638년(인조 16)에 태의대사(太義大師)가 중건하였다고 한다. 그러나 대웅전은 1654년(효종 5)에 중건되었고 1948년에 크게 중수된 사실이 있다. 따라서 현재의 건물 모습은 1645년 중건 이후에 만들어진 것으로 보아야 한다.

현재 장안사는 중심에 대웅전을 두고 좌우에 명부전과 응진전이 세워져 있고, 명부전과 응진전에 직렬하여 요사채가 배치되었다. 그러나 이 요사채들은 약 30여 년 전에 신축한 것이며, 본래는 대웅전과 병렬하여 강당이 있었다고 한다.

대웅전은 평면 규모에 비해 웅장한 스케일을 가지고 있다. 이것은 대웅전 자리의 지대가 높기 때문이기도 하지만, 건물이 높고 처마가 깊게 돌출한 팔작지붕을 가지고 있기 때문이다. 평면은 대웅전에서 흔히 사용되는 정면 3칸, 측면 3칸의 기둥 배열을 갖지만, 정면의 기둥 간격이 넓고 특히 정면 어칸의 기둥 간격이 4분합문을 달 정도로 넓기 때문에 장방형의 평면 형태를 취하고 있다. 내부에는 뒤쪽으로 고주 1렬을 세워 후불벽을 만들고 불단을 설치하여 본존불인 석가여래를 중심으로 오른쪽은 아미타여래불, 왼쪽은 약사여래불을 모시고 있다.

기둥과 평방의 결구 수법은 다포계 건물 중에서 비교적 완결성을 보여준다. 즉 기둥머리 부분에 평방을 끼워 넣어 평방 사이의 이음새를 보이지 않도록 만든 것이다. 공포

부재는 화려하고 정교하게 조각되어 장식성을 강조하였다. 쇠서는 하단부를 섬세하게 조각하였고 앙서형으로 급하게 추켜올려 강한 상승감을 주고 있다. 특히 귀공포는 전각포로서 주두 위에는 살미쇠서 2개를 놓아 포를 크게 하면서 양단부의 분절을 분명히 하였다.

대웅전의 창호 구성은 중심성을 강조하는 입면 구성의 기법과 소목공예의 화려함을 보여준다. 양협칸의 3분합문은 중앙 창에 교살을 사용하고 양옆은 격자살을 두어 중앙을 강조하였고, 어칸의 4분합문은 양옆에 교살을 사용하고, 중앙 두 짝문에는 격자교살을 두어 중심성을 심화시켰다. 격자살 중앙에 교살, 그리고 교살 중앙에 격자교살이라는 단지 두 종류의 창살기법으로 중심성이라는 건축적 어휘를 훌륭하게 표현한 것이다. 각 창호의 상부에는 격자살마다 한 칸 건너 원형 꽃살을 장식한 것도 고급스러운 소목공예라 볼 수 있다.

- 이상 옮겨온 글 -

https://blog.naver.com/hoilsanta/221533003682

2010년 3월 15일

8. 범어사(梵魚寺) : 부산 금정 청룡 금정산('10,11,13 토 맑음)

학창 시절에 소풍을 자주 갔던 절이다. 그 시절이 그리워 펼쳐본 앨범 속의 내가, 지금의 나를 누군가 하고 뚫어지게 보고 있다. 추색이 만건곤하니 나고 가는 인생이 더더욱 무상하도다.

-아래 글은 네이버 백과사전의 범어사에서 옮겨온 글 -
화엄종 10찰의 하나이며, 일제 강점기에는 31교구본산의 하나였다. 창건에 대하여는 두 가지 설이 있으나 그 중 <삼국유사>의 678년(문무왕 18)의상(義湘)이 창건하였다는 설이 유력하다. <신동국여지승람>에 의하면 금빛나는 물고기가 하늘에서 내려와 우물에서 놀았다고 하여 금정산으로

이름짓고 그곳에 사찰을 지어서 범어사라 하였다고 기록하고 있다.

<범어사창건사적(創建事蹟)>에 보면 당시 범어사의 가람 배치는 미륵전, 대장전, 비로전, 천주신전, 유성전, 종루, 강전, 식당, 목욕원, 철당 등이 별처럼 늘어서고 360 요사가 양쪽 계곡에 꽉 찼으며, 사원에 딸린 토지가 360결이고 소속된 노비가 100여 호에 이르는 대명찰이라 하였는데, 이많은 것이 창건 당시 한꺼번에 갖추어졌다고 믿기는 어려우며, 상당 기간에 이루어진 것으로 여겨진다. 그 후 임진왜란 때 모두 불타벼려 10여 년을 폐허로 있다가 1602년(선조 35)에 중건하였으나 또다시 화재를 당하였고, 1613년(광해군 5)에 여러 고승들의 협력으로 중창하여 법당, 요전, 불상과 시왕상 그리고 필요한 모든 집기를 갇추었다.

현재 보물 제434호로 지정된 대웅전을 비롯하여 3층석탑(보물 250호), 당간지주, 일주문 , 석등, 동,서 3층석탑 등의 지방문화재가 있으며 이밖에 많은 전각, 요사, 암자 ,누, 문 등이 있다. 옛날부터 많은 고승들이 이 곳을 거쳤으며, 중요한 인물만도 의상을 비롯하여 그의 고제 표훈, 낙안, 영원 등이 있다. 선찰대본산범어사안내에는 역대 주지, 승통, 총섭, 섭리 등으로 구분하여 수백 명이 기록되어 있다. 부산 금정구 청룡동 금정산에 있는 절이다.

https://blog.naver.com/hoilsanta/221540424378

2010년 11월 17일

9. 금산사 : 부산 기장 장안 오리('10,11,14 일 맑음)

금산사를 인터넷에서 찾아보니 거의가 전북 김재에 있는 절을 가리키고 있다. 금산사라는 이름을 가진 사찰은 전국에 수도 없이 많다. 김재의 금산사가 너무도 이름난 절인 까닭으로 중소 사찰의 금산사는 그늘에 가려 이름이 제대로 알려지지 않고 있음 이리라.

부산 기장군 장안읍에 있는 금산사도 중소 사찰로써 웹상에서 이름이 널리 알려지지 않은 절인 것 같다. 유명한 고리 원전의 사택을 동으로 두고 산기슭을 올라가면 오리라는 마을 뒤에 비탈진 곳을 다듬어 절을 세워 두었다. 금빛 찬란한 와불을 모셔 두었는데, 목조 와불로써는 전국에

서 제일 크다고 한다. 너무나 커서 국내에서는 마땅한 크기의 나무가 없었어 중국에서 제작하였다고 한다.

누워있는 발바닥에 문을 내어서 다리 내부를 관통하여 부처님 몸통 속으로 들어 가면, 머리 속 뇌가 있는 부분에 불상이 모셔져 있고, 배속에서 보면 뱃가죽 쪽에는 불화와 자그마한 부처님들을 모셔 두었다. 뱃속에서 등짝에 해당하는 부분에는 몸속에서 밖으로 나오는 문이 있고 문밖에는 수많은 불상들이 앉아있거나 누워있는데, 그 불상 마다 시주자의 이름인지? 모두가 하나 하나씩 이름이 붙혀져 있다.

https://blog.naver.com/hoilsanta/221541069891
2010년 11월 18일

10. 묘관음사(妙觀音寺) : 부산 기장 장안 임랑
('10,11,15 월 맑음)

기장 월래에서 남쪽으로 바닷가 길을 따라가다 보면 오른쪽으로 묘관음사 표지석이 서 있다. 여기서 동해남부선 철길을 건너면 바로 대나무 숲과 함께 아담한 절이 있다. 묘음관음사라는 이 절은 고려말 보수 선사가 중국 석옥 청곡선사로부터 들여왔으며 조선왕조의 억불 정책으로 크게 번창하지는 못하였지만 경허, 혜월스님 운봉선사 등으로 그 법 맥이 이어져 오고 있다. 이곳 묘음관음사는 1941년에 운봉선사가 창건하고 그 뒤 향곡선사가 중창하여 진제선사에 이른다.

< 아래글은 네이버 백과사전에서 옮겨온 글>

향곡

법호는 혜림이다 속명은 김진탁이며, 아버지는 원묵, 어머니는 김적정으로 1912년 경북 영일 신망 토서에서 태어났다. 어릴 때부터 부모를 따라 절에 다니기를 좋아 했으며, 1927년 둘째형과 함께 천성산 내원사에서 출가하여 1929년 성월을 은사로 계를 받고, 1931년 동래 범어사 금강계단에서 성수를 계사로 구족계를 받았다.

이후 10여년간의 정진 끝에 1944년 내원사에서 도를 깨닫고 경허와 혜월, 운봉으로 이어지는 전법게를 얻었다. 그 뒤 동래에 묘관음사를 창건하여 선원을 열고, 선암사와 불국사 동화사의 선학원 조실을 지내는 등 20여년간 종풍을 떨쳤다. 모든 사람에게는 하나의 무주진인이 있음을 강조하였고, 부처를 절대자로 생각하지 말고 얽매이지 말 것을 가르쳤다. 1978년 12월 15일 열반게를 짓고, 12월 18일

묘관음사에서 66세의 나이로 입적하였다. 법랍은 50세이며, 전법 제자로 진제를 두었다.

https://blog.naver.com/hoilsanta/221541073651
2010년 11월 21일

11. 해운정사(海雲精寺) : 부산 해운대 장수산(주산은 장산) '10,11,16 화 맑음

경허-혜월-운봉 선사로부터 내려온 이마 위의 일구[向上一路]를 투과하여 불조의 정맥을 이어받으신 향곡(香谷)선사(1912~1978)께서는 40여 년 전, 1967년 진제 큰스님께 부처님의 심인법(心印法)을 부촉하시면서 "네 대(代)에 선풍(禪風)이 크게 흥하리라." 고 예언하셨습니다.

이후 큰스님께서는 모든 인류와 일체 중생을 제도(濟度)하고 임제(臨濟)의 법맥을 이을 법제자를 양성하기 위해 인연터를 찾아 전국의 산천을 두루 돌아다니시다가 마침내 해운대 장수산에 이르시어, 태백산맥이 굽이쳐 내려와 장중한 기운이 맺힌 것을 보시고는, 산의 모습이 장려(壯麗)하고 진중(珍重)하여 '수행자들의 최상의 공부터로구

나!' 간파하시고 이곳에 1971년에 터를 잡아 창건하시게 되었습니다.

따닥- 딱!

이것은 화두일념을 위해 애쓰고 노력하다가, 자기도 모르는 사이에 다겁생의 업장으로 혼침에 빠졌을 때, 조실스님께서 경책의 죽비를 내려치시는 소리입니다.

금모선원(金毛禪院)에서 새벽과 저녁으로 조실스님께서 거의 매일 직접 경책을 내려주십니다.

전국에서 모여든 발심한 납자스님을 위한 상(上)선원, 재가불자를 위한 하(下)선원이 여름과 겨울 석 달 동안 똑같이 안거에 들어갑니다.

또 매주 토요일마다 저녁 8시부터 새벽예불까지 철야용맹정진 선방이 운영되고 있으며, 큰스님께서 많은 재가불자들의 정진을 북돋우며 항상 직접 경책(警責)을 내리시어 숙세(宿世)의 업장(業障)을 소멸하고 깨달음의 씨앗을 심는 소중한 기회가 되고 있습니다.

해운정사는 모두 세 곳의 선방에서 스님들과 재가자까지 합쳐 200여 명의 대중이 조실스님의 가르침대로 화두일념을 지속시키려는 열기가 가득한 한국 제일의 참선도량입니다.

2002년 10월 20일 해운정사에서, 현대인들에게 참선수행이라는 답을 제시하고 있는 선불교, 생활속의 참선과 화두수행으로 '참나'를 찾아가는 깨달음의 세계를 한국 중국 일본의 대표적인 선지식들의 법문과 토론을 통해 가늠해 보는 자리가 , '21세기 선(禪)으로써 인간성 회복'이라는 주제로 '한중일 국제무차선대법회'가 열렸습니다.

'무차법회'는 불교에서 수행이 높은 고승을 모시고 자유로운 분위기에서 진리를 배우는 자리로 승속, 빈부, 노소, 귀천의 구분없이 누구나 참여할 수 있고 어떤 질문도 막지 않는 불교의 전통 법회형식입니다

중국 조주원 백림선사 방장 정혜대선사[중국불교협회 부의장 : '각오인생(覺悟人生) 봉헌인생(奉獻人生)'을 종지로 하는 생활선을 창도, 중국 불교부흥을 선도]과,

일본 후쿠오카 숭복사 조실 종현대선사[대보리사 주지와 화원선숙 선원장을 역임, 일본 임제종의 최대 계파인 묘심사파 대표]의 법문과 조계종 제5대 종정을 역임하신 백양사 방장 서옹대종사님과

경허-혜월-운봉-향곡 선사로 이어지는 법맥을 계승하신 동화사 조실 진제대선사님의 법문으로 현대인들에게 참선 수행의 답을 제시하는 법석이 이루어졌습니다.

매월 음력 초하루와 18일 지장재일에는 법회가 열려 진제 조실스님의 법문을 들을 수 있습니다.

부처님과 조사의 바른 안목[佛祖正眼]을 갖춘 선지식을 만난다는 이 일은 참으로 어려운 인연으로, 선지식의 고준한 법문 한마디는 귓전을 스쳐 지나가기만 해도 과거, 현재, 미래의 삼생(三生)의 업장이 소멸됩니다.

법문을 듣고 일상생활속에 오매불망 간절히 화두를 참구하여 지혜를 계발하고, 또 한편으로는 가지가지 복(福)된 일을 솔선수범해서 행하시기를 바랍니다.

우리가 하루하루를 살아감에 있어서 무한한 생명을 희생시키는 가운데 살고 있습니다. 그래서 백분의 일이라도 빚을 보답하기 위해서 매월 8일 약사재일을 기해서 경주 금천사로 가서 방생법회를 엽니다.

나고 날 적마다 건강하고 장수를 누리고자 할진대 살생의 악연(惡緣)을 짓지 말아야 합니다. 생명을 내 몸같이 사랑하는 덕(德)을 닦으며 화두를 통해서 지혜를 증장시켜야 합니다.

해운정사의 일과는 새벽 3시 아침 예불, 오전 10시 사시기도와 마지예불, 예불 후 점심 공양, 오후 5시 반의 저녁

공양, 7시의 저녁예불(동절기: 5시 저녁공양, 6시반 예불)로 이루어져 있습니다.

조실스님께 친견을 원하시는 분은 미리 문의전화를 해주십시오.

전화는 051-746-2256, 4812, 팩스 051-741-8882입니다.

화두일념이 지속될 수 있도록 일상생활 속에서 꾸준히 수행하시어 지혜와 복덕을 함께 닦아 위없는 깨달음을 성취하시기를 바랍니다.

https://blog.naver.com/hoilsanta/221541782821

2010년 11월 22일

12. 통도사(通道寺) : 경남 양산 하북('11,8,10 수 비)

금년 여름에는 장마가 끝나면서 계속 국지성 집중 폭우가 간단없이 내리고, 덩달아 태풍마저 기승을 부린다. 근년에 들어왔어 지구 온난화가 가속되고 있고, 특히 우리나라는 국제 평균의 2배 정도로 온난화하고 있다는 것이 당국의 발표다. 그래서 그런지는 몰라도 종전에는 장마가 물러가고 나면 쏟아지는 햇빛에 더위 먹은 잠자리가 담벼락에 졸고 있고, 기죽은 메뚜기는 풀숲에 숨을 죽이는가 하면 짓먹던 송아지는 어미 소 옆에 내 발 뻗어 늘어지고, 멍멍이는 마루 밑에 낮잠 들고, 논매던 농부가 문턱 베고 잠들면 풀죽은 삼배 적삼 말려 올라가고, 배꼽 위로 파리며 개미가 산보 다녔는데, 오늘도 비 내일도 비 안 오는 날이 드물고 열대성 스콜처럼 매일 같이 시도 때도 없이 퍼붓는다.

계속되는 우천에 틈을 내어서 나의 마지막 108배를 장식하기 위하여 우리나라 5대 적멸보궁 중에서도 중심에 있는 양산의 통도사를 다녀왔다. 20대 후반에 직장에서의 야유회 이후 어머님이 돌아가시기 몇 해 전에 동네 어른들을 모시고 간 것이 10년도 넘은 듯하다. 폭우가 길바닥에 부딪혀 튀어 오르는 순간에 자동차 타이어에 의해서 튀겨져서 물보라로 변하여 안개같이 퍼지고 시야를 흐리게 한다. 하늘은 먹구름이 낮게 드리워 용트림을 치고 어두컴컴하여 대낮의 어둠이 깔린 고속도로를 운행하는 것은 너무나 힘겨운 일이다. 안전에 안전을 기하면서 조심스럽게 당도한 통도사 나들목에서 긴장이 풀린다. 태고의 소나무 숲길이 포근하게 감사면서 안내한 통도사는 그때 그대로 맞이한다.

첫 발심 했을 때가 부처님 자리라 하셨습니다. 2009년 1월 13일 강화도 보문사로부터 시작하여 오늘이 있기까지 우여와 곡절도 많았습니다. 돌이켜 보면 부처님에게 참배

하는 깃보다 절 수에 너무 집착한 것 같기도 하여 다소 찜한 점도 있었던 것이 사실입니다. 좀 더 여유와 느긋함을 가지고 부처님에게 다가서지 못한 것 같습니다. 부처님 재가 바로 이런 점이 모자랍니다. 앞으로보다 더 불도에 정진하도록 노력 하겠사오니 너그러이 감사 주십시오.

- 明跡 文浩一 合掌 -

https://blog.naver.com/hoilsanta

2011년 6월 1일

제8부 일상적인 불공 드리기

구태여 불교를 믿지 않드라도 우리는 생활 자체가 지나가다가도 절이 있으면 그냥 들어 가서 부처님께 절을 하고 간다. 그러면 어쩐지 마음이 편해진다. 이렇게 108순례를 마치고 더 절을 찾아 그동안 참배를 한 절에 관하여 기록으로 남겨 본다.
108 순례를 하기 전에도 수많은 절을 다녀 오기도 하였지만 기록이 없어서 여기에 올리지 못한다. 그리고 108순례를 한 절에도 다시 들린일이 있으나 이중으로 올리지 않기 위해서 뺀것임을 밝혀 둔다.

1. 자인사(慈仁寺) : 경기 포천 명성산(산정호 수'11,10,30 일 맑음

경기도 포천시와 강원도 철원군을 잇는 명성산 (鳴聲山) 자락에 위치한 전통사찰이다. 궁예가 자신의 부하였던 고려 태조 왕건에게 패한 후 이곳으로 쫓겨와 크게 울었다고 하여 이름 붙은 명성산은 산정호수와 어우러진 험준한 암벽, 억새밭이 절경을 이룬다.

깎아지른 암벽을 배경으로 자인사가 서 있으며, 다소 왜소한 대웅전에 비해 큰 규모의 석불이 있다. 그 외에 관세음보살상과 여러 개의 석탑이 오밀조밀하게 서 있고, 경내에는 맑고 깨끗한 샘물이 솟아난다.

자인사 우측에 난 길로 접어들어 넓은 계곡을 따라가면

절벽이 앞을 가로막고 있으며, 암릉에 올라서서 북동쪽으로 펼쳐지는 억새풀 가득한 평원을 바라보면 그야말로 장관이다.

주변에 명성산, 산정호수, 등룡폭포,삼부연폭포,광덕산, 백운동폭포,순담계곡,임진강, 화적연, 금수정지,재인폭포, 국망봉계곡 등의 관광지가 있다.

[출처] 자인사 [慈仁寺] 네이버 백과사전

https://blog.naver.com/hoilsanta/221551717798

2011년 10월 31일

2. 무학사 : 수원시 권선구 호메실동(2019년 6월 3일)

가까이 있으며 자주 마주치기도 하면서 그냥 지나칠 경우가 종종 있다. 무학사도 그중에 하나인 것 같다. 수돗물이 수질이 좋지 않다고 하여 세간에서는 수돗물을 그냥 먹는 사람이 드물 것이다. 당수동에 가면 담배인삼공사 연구소에서 민방위용으로 지하수를 제공하는 시설이 있는데 여기서 물을 갖다 먹기 위하여 이 절 앞을 지나야 한다. 이 절에 한번 가보아야지 하면서도 그동안 못 갔던 것이다. 그래서 이번에 마음먹고 다녀온 것이다.

서수원의 호메실지구가 최근에 들어 와서 신도시로 재탄생하게 되어, 거주환경이 좋아지고 지하철도 멀지 않아 개통될 것이라 하여, 날이 다르게 발전하고 있는 바로 옆에 붙어 있

는 호젓한 절로서 앞으로 주민들의 신앙생활에 이바지하는 바가 클 것으로 기대되는 사찰이다.

https://blog.naver.com/hoilsanta/221561982007

2019년 6월 6일

3. 심원사(深源寺) : 강원도 철원군 동송읍 상노리 보개산(寶蓋山)'11,10,30 일 맑음

<내용>

대한불교조계종 제3교구 본사인 신흥사(新興寺)의 말사이다.

647년(진덕여왕 1)에 영원조사(靈源祖師)가 보개산의 영원사(靈源寺)·법화사(法華寺) 등과 함께 창건한 뒤 흥림사(興林寺)라 하였다. 그 뒤 859년(헌안왕 3)에 범일(梵日)이 중창하였다. 1393년(태조 2)에 화재로 소실된 것을 1396년에 무학(無學)이 중창하였으며 원래의 산이름인 영주산(靈珠山)을 보개산으로, 절 이름을 심원사로 개칭하였다.

그러나 임진왜란으로 다시 소실된 것을 1595년(선조 28)에

인숭(印崇)·정인(正印) 등이 중건하였으며, 그 뒤 많은 고승들의 배출과 함께 몇 개의 탑과 천불전(千佛殿)·해장전(海藏殿)·천태각(天台閣)·청향각(淸香閣)·산영루(山影樓) 등 250여 칸의 건물과 1,702위(位)의 불상을 봉안하여 대찰의 면모를 갖추었다.

그러나 1907년 10월 이 절을 중심으로 항쟁하던 의병 300명과 관군의 공방전으로 인해 완전히 소실되었으며, 1909년 주지 유연수(劉蓮叟)가 중창하였다. 6·25전쟁 때 다시 폐허된 것을 당시의 주지였던 김상기(金相基)가 철원군 신서면 내산리의 옛터에서 현재의 위치로 옮겨 중창하였다.

현존하는 당우로는 36평에 이르는 대웅전을 비롯하여 24평의 명부전(冥府殿), 산신각·요사채 등이 있다. 특기할 만한 문화재는 없으나 명부전 안의 지장보살상(地藏菩薩像)은 과거

의 심원사에 봉안했던 것이다.

부속 암자로는 721년(성덕왕 20)에 창건한 석대암(石臺庵)을 비롯하여, 860년 범일이 창건한 지장암(地藏庵), 860년 범일이 창건하고 1396년에 무학이 나한전(羅漢殿)을 세운 나한도량 성주암(聖主庵), 1396년 무학이 창건한 남암(南庵) 등이 있다. 또 이 절에는 화산경원(華山經院)이 있었는데, 이는 주지 이춘산(李春山)이 불교연구를 위한 교육기관으로 건립한 것이었다. 현재 비구의 수도처로 이용되고

- 이상 옮겨온 글 -

https://blog.naver.com/hoilsanta/221552331937

2011년 11월 2일

4. 도피안사(倒彼岸寺) : 강원도 철원군 동송읍 관우리 화개산 '11,10,30 일 맑음

신라 경문왕 5년(865) 도선국사가 높이 91㎝의 철조비로자나불좌상을 제조, 철원읍 율리에 소재한 안양사에 봉안하기 위하여 가다가 잠시 쉬고 있을 때 불상이 갑자기 없어져 그 부근 일대를 찾다가 현위치에 그 불상이 안좌한 자세로 있는 것을 발견하고 그 자리에 암자를 짓고 이 불상을 모셨다 한다.

당시 철조불상이 영원한 안식처인 피안에 이르렀다 하여 절 이름이 도피안사로 명명되었으며 절 내에는 도선국사가 제조한 국보 제63호인 철조비로자나불좌상과 보물 제223호로 지정된 높이 4.1m의 화강암 재료로 된 삼층석탑이 보존되어 있다.

- 이상 옮겨온 글 -

https://blog.naver.com/hoilsanta/221553023358

2011년 11월 2일

5. 신흥사 : 강원 속초 설악산 권금성 2017년 11월 4일

곱게도 물들어 가는 가을 단풍에 첫눈이 내리면서 자연은 필설로 형언키 어려운 장관을 연출한다. 말은 두었다 하고 마음으로만 보아야 대자연의 경이로움과 아름다움이 펼쳐지는 경관을 느끼고 설명이 가능할 것 같다.

https://blog.naver.com/hoilsanta/221556262394

2017년 11월 4일

6. 부석사(浮石寺) : 경상북도 영주시 부석면 북지리 봉황산 '21, 10,21

부석사는 신라때 676년 2월에 의상이 왕명으로 창건한 절이라고 삼국유사에 기록되어 있다 한다. 의상을 사모하던 선묘가 용으로 변하여 의상이 절을 지을 수 있도록 하였다고 하여 절 이름을 부석사로 하였다고 한다. 무량수전 왼쪽 언덕바지에 지금도 부석이라는 바위가 있는데, 지상으로부터 조금 떠 있다고 말하는 사람도 있다. 이 바위가 선묘가 용으로 변한 바위라 하는 전설이 있다.

학교 때 우리나라에서 목조 건축물로써 가장 오래된 것이 부석사 무량수전이라 배웠다. 그러나 최근에는 이런 말은 하지 않는다. 대신에 유네스코 세계문화유산으로 등제되어 세계의 귀중한 인류 문화유산으로 자리하고 있다.

불교사적위치 - 부석사 홈피에서 옮겨온 글 -

신라의 불교는 눌지왕 때에 들어와 법흥왕 때에 수용된 뒤에 크게 발전하였다. 중국을 통하여 전입된 교학 불교는 신라 불교로 하여금 종파성을 띠게 하였는데 가장 특징적으로 운위되는 종파는 화엄종과 법상종이다. 그 가운데에서도 전법사실이 뚜렷하고 종찰이 확실한 것은 의상의 화엄종이다.부석사는 우리나라 화엄종의 본찰로 초조인 의상 이래 그 전법 제자들에 의해 지켜져 온 중요한 사찰이다. 의상은 676년 부석사에 자리잡은 뒤 입적할 때까지 이곳을 떠나지 않았고 그의 법을 이은 법손들 역시 마찬가지였다.부석사 원융국사비에는 지엄으로부터 법을 전해 받은 의상이 다시 제자들에게 전법하여 원융국사에까지 이른 것과 원융국사가 법손이 된 뒤 부석사에 자리잡았다는 사실 등이 밝혀져 있다.

https://blog.naver.com/hoilsanta/222700716626

2022년 4월 14일

7. 영은사(靈隱寺) : 충남 공주 공산성내(2019년 10월 6일)

영은사를 사전에 알고 찾아갔던 것이 아니다. 공주의 공산성을 답사하는 중에 공산성 내에 절이 있어서 알게 된 것이다. 성벽을 따라 나 있는 산책길을 따라서 금강이 바라보이는 아래로 내려가면 언덕 아래에 아담하게 사찰건물들이 보인다. 성곽을 배경으로 금강을 앞에 두고 있다. 한마디로 요새에 있는 절이다.

자료를 찾아보면 꽤 유서가 깊고 호국의 절임을 알 수 있다. 많은 관광객이 찾아드는 성곽과는 별개로 고즈넉하게 보인다. 수령이 수백 년이 될 것 같은 은행나무가 앞뜰에 버티고 서 있어서 스님들 마음을 흩트리지 않게도 하고, 수도의 결실이라도 보는 양 탐스럽게 익은 감을 달고

있는 감나무 또한 옆에서 마음을 추스르게 한다.

공주 공산성 안에 있는 절로서 성안의 한적한 곳에서 금강이 앞에 있어서 경관도 좋지만 아늑하게 자리하고 있다. 최근에 들어와 다소 불편할 것 같은 것은 공산성을 찾는 관광객들이 너무 많이 분비다 보니 조용히 수도 하는 분위기를 해칠 수도 있지 않을까 하여 내가 괜히 신경이 쓰이는 것은 웬일일까? 이제는 절 이름과 같이 영혼을 숨기기에는 환경이 너무 바뀐 것 같아 보인다.

결실의 계절과 더불어 탐스럽게 익어 가는 감나무와 강가 성터가 잘 어울리는 밑으로 관광객들이 즐거워하는 모습이 머릿속에 삼삼히 남아 있어서 매우 인상적인 분위기가 있는 사찰이다.

https://blog.naver.com/hoilsanta/221681218517

2019년 10월 18일

8. 관촉사(灌燭寺) : 충청남도 논산시 은진면 관촉리 반야산(2020년 11월 12일)

중학교 역사책이었던 것 같은 기억에 은진 미륵이 우리나라에서 불상으로는 제일 크다고 나온 것을 배운 것 같다. 그때는 제일 큰 것, 많은 것, 높은 것, 등 제일인 것과 그리고 세계 삼대 어장, 독일의 3B 정책, 시베리아의 3 대강 등 이렇게 3대와 나라의 수도를 외우는 것이 유행이었다. 덕분에 지금도 잘 써먹고 있다.

그동안 108 순례도 하고, 많은 절에 참배를 하였으나 어찌된 일인지 관촉사는 가보지 못하고 항상 마음에 걸려 있었다. 그러던 차에 갑자기 가을이 가기 전에 은진 미륵을 보러 가야겠다고 결심을 하게 되어 지난 11월 12일에 큰맘 먹고 다녀왔다. 따사로운 가을 햇살이 추수가 끝나가는 들녘에 정겹게 비

비추고 있어서 마음이 가벼운데 자동차도 신이 나는지 잘도 달린다.

관촉사는 대한불교조계종 제6교구 본사인 마곡사의 말사로 고려 광종 19년인 968년에 혜명에 의해 창건될 때 조성된 석조 미륵상이 발산하는 빛을 좇아 중국에서 명지안이 와 예배했다고 하여 관촉사라 이름 지었다고 한다. 관촉사를 찾아간 이유는 앞에서도 언급을 했지만 절도 절이지만 우리나라에서 석조불상으로 제일 크다고 하여 과연 어떤 것인가 하는데 더 많은 관심이 있어서 이다.

조용한 시골인 은진 마을의 야산 정도에 해당하는 반야산 중허리에 절이 있는데 일주문을 지나서 몇 겹으로 구비 진 계단을 오르면 돌계단 위에 절이 보인다. 절을 지키고 있는 사천왕 앞에서 절을 하고 산을 깎아서 만든 아주 넓은 마당에

들어섰다. 부처님에게 기도를 드리고 둘러보았다. 오래된 사찰들은 대게 삼국시대 때 절 들이었는데 관촉사는 고려 때 절이라 하여 뭐가 다른 점이 있나 하고 유심히 살펴보았으나 별반 차이를 느끼지 못했다. 다만 그렇게도 보고 싶었던 미륵석불은 유달리 큰 머리에다 머리 위에다 올려놓은 것이라든지 왼손을 왜 그렇게 해 놓았는지 알지 못하는, 일반적인 불상과는 달리 보여서 한참이나 보았다.

울긋불긋 추색으로 물들은 관촉사에 미륵불이 사바세계를 내려다보고 있다. 정감록에 나오는 정도령을 미륵불과 연관시키는 사람도 있다. 이러나저러나 한평생 부끄러움 없이 살면 미륵불이던 정 도령이던 무슨 상관이 있으리오마는 인간이기 때문에 그렇게 안 되는 것이다. 그래서 그렇게 되어 보려고 노력하느라 미륵불도 찾아보고 정 도령을 그려 보는 것이 아닐까 하고 혼자 생각해 봅니다. 참으로 오랜만에 마음에

걸려 있던 관촉사의 은진 미륵을 보고 나니 한결 마음이 가벼워진다. 자세산 것은 아래 참고사항을 참조해 주시면 감사하겠습니다

<참고사항>

미륵(彌勒) : 대승 불교의 대표적 보살 가운데 하나인 보살의 몸으로 도솔천(兜率天)에서 머물다가 미래에 석가모니불에 이어 중생을 구제한다는 미래의 부처

은진 미륵 : 국보 제323호로 우리나라 석조불상 중에서 가장 큰 불상으로서 크기가 17.8m. 고려 시대 불상

https://blog.naver.com/hoilsanta/222150304017

2020년 11월 22일

9. 안국사(安國寺) : 전라북도 무주군 적상면 북창리

934 : 2018년 10월 11일

무주 적상산 사고를 찾아가면 안국사도 옆에 함께 있다. 적상산을 올라가는 길이 양장(羊腸)보다 더 구불거려서 핸들 잡은 손이 바쁘다. 하도 돌고 돌다 보니 머리도 어지러울 지경이다. 무주양수발전소 건설 시에 수몰을 피하여 현재의 위치에 옮겨 지은 것이다. 짙푸른 가을 하늘 아래 단풍이 곱게 물들은 적상산 상부에 아담하게 자리하고 있다. 고려 충렬왕(1277년) 시기에 건립하였다 하니 꽤 유서 깊은 절이다. 산성도 있다.

https://blog.naver.com/hoilsanta/221560866038

2018년 10월 11일

10. 백양사 : 전남 장성군 북하면 백양로 1239 (2016년 11월 29일)

가을도 저물어 가는 11월의 마지막에 이르러 그렇게도 아름답다던 백양사의 단풍을 보지 못하고, 이제야 그 백양사를 향하여 간다. 앙상한 가지로 겨울을 맞이하고 있는 개울가 나무들 사이에 간밤의 이슬비에 젖은 촉촉하고 한적한 아스팔트 길을 따라, 새벽에 외로이 달리는 승용차에서 느끼는 계곡의 정경은 짧은 실력의 필설로는 형용키 어렵다.

입구의 주차장이 어쩐지 낯설지 않다. 언젠가 한 번 와 본 기억이 가물거린다. 잠들은 연못가에 거대한 고목이 밑동에 금줄을 매고 앉아서 태평스레 서 있다. 어찌 나무가 무슨 수로 금줄을 스스로 맬 수 있으려고? 인간의 짓이다. 고즈넉한 산사에서 그저 부처님께 간절한 기도도 한에 차지 않고 모자

라는 마음에서 하나라도 더 잘해 보려는 인간의 심리 본성이 아니겠는가? 굳이 탓하고 싶지 않은 맘 땅기는 모습이다. 어디로 가는지 모르지만 급한 발걸음의 스님이 눈앞에서 멀어져 간 자리에 고즈넉이 사찰의 모습이 오버랩된다. 지난가을에 놓아둔 대웅전 뜰의 국화 화분이 서리에 시들은 국화꽃을 안쓰러워하는지 그대로 담고 앉아 있다. 시인 서정주는 '한송이 국화꽃을 피우기 위하여 뭇 서리는 저리 내리고 봄부터 소쩍새는 그렇게 울었나 보다' 그런 국화꽃이 생을 마감하고 초라한 모습으로 절 마당을 지키고 있는 것이다. 우리네 인생도 다를 바 하나도 없지 않을까 한다. 대웅전에 계시는 부처님께서 이 무상한 생의 의미를 만 중생에게 가르치고 있는 것일 게다.

중년으로 보이는 보살님이 탑을 향하여 쉴 새 없이 허리를 구부렸다 폈다 한다. 보살님 성불하소서 마음속으로 성원을

보냅니다. 오늘따라 주렁주렁 달린 홍시가 유난히도 아름다운 자태로 절을 지키고 있는 뒤뜰을 돌아 나오니 시간마저 멈춘 듯한 산사가 더더욱 불심을 자아낸다. 새벽의 고요한 백양사가 자꾸만 눈에 선하여 발걸음이 앞으로 가지 못하고 뒤로만 돌아보게 한다. 내년 가을에는 잊지 않고 다시 올 수 있도록 간절히 기도 합니다.

https://blog.naver.com/hoilsanta/221555569802

2016년 12월 20일

찾아보기

<ㅅ>

<ㅇ>

<ㅈ>

<ㅊ>

<ㅌ>

<ㅍ>

<ㅎ>

나의 아름다운 사찰 108 순례기

발 행 | 2022년 4월 30일
저 자 | 문호일
펴낸이 | 한건희
펴낸곳 | 주식회사 부크크
출판사등록 | 2014.07.15.(제2014-16호)
주 소 | 서울특별시 금천구 가산디지털1로 119 SK트윈타워 A동 305호
전 화 | 1670-8316
이메일 | info@bookk.co.kr

ISBN | 979-11-372-8099-1

www.bookk.co.kr